DIBUJAR
Y PINTAR
PERSONAJES DE
FANTASÍA

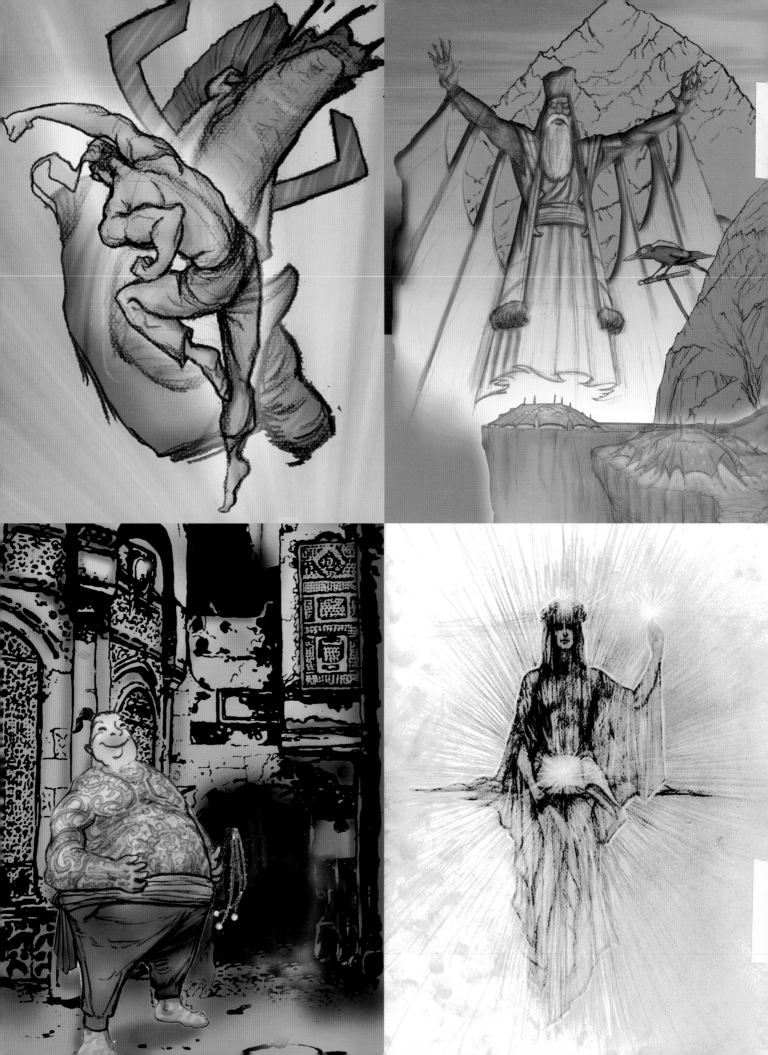

Dibujar y pintar personajes de fantasía

DE LA IMAGINACIÓN A LA PÁGINA

FINLAY COWAN

Grupo Editorial Tomo, S.A. de C.V.,
Nicolás San Juan 1043,
03100 México, D.F.

1a. edición, agosto 2011.

"Drawing and Paiting Fantasy Figures".

Finlay Cowan

Copyright © 2003 Quarto Publishing, Plc.
© 2011, Grupo Editorial Tomo, S.A. de C.V.
Nicolás San Juan 1043, Col. Del Valle
03100 México, D.F.
Tels. 5575-6615, 5575-8701 y 5575-0186
Fax. 5575-6695
http://www.grupotomo.com.mx
ISBN-13: 978-607-415-285-2
Miembro de la Cámara Nacional de la
Industria Editorial Mexicana No. 2961

Supervisor de producción: Silvia Morales

Este libro se publicó conforme al contrato establecido entre
Quarto Publishing, Plc. y *Grupo Editorial Tomo,
S.A. de C.V.*

Impreso en Singapur - *Printed in Singapore*

índice

introducción

LA POPULARIDAD DEL GÉNERO FANTÁSTICO A MENUDO SE EXPLICA POR LOS TEMAS QUE TRATA: LA LUCHA DEL BIEN CONTRA EL MAL, GESTAS SAGRADAS Y LA SUPERACIÓN DE LOS OBSTÁCULOS DE LA VIDA. TODOS ELLOS PERTENECEN A UNA RICA TRADICIÓN FOLCLÓRICA QUE SE REMONTA A LA ANTIGÜEDAD.

La mayor parte del arte fantástico que se ve en la actualidad está influido por la mitología nórdica, las *Eddas* germánicas, *El cantar de los nibelungos*, las sagas celtas y los cuentos de hadas europeos, en los que aún se percibe la influencia de los mitos griegos, egipcios e hindúes. Estos temas se reflejan en las leyendas, fábulas y mitologías de culturas completamente diferentes de todo el mundo. Descubrimos que se cuentan historias similares desde América hasta el Lejano Oriente y que las mismas imágenes poderosas perduran.

OCÉANOS DE HISTORIAS

La narración, y por tanto el mito y la fantasía, probablemente existen desde la aparición del lenguaje y las representaciones gráficas, como las pinturas rupestres. Tenía como función exagerar los acontecimientos cotidianos para que las generaciones futuras aprendieran los códigos de supervivencia. Por esta razón era muy importante en la sociedad y se creía que los narradores tenían un poder considerable. Hasta cierto punto, la persistencia de la tribu o su sociedad era responsabilidad de ellos.

La transmisión de historias comenzó a tener otras utilidades, como la de concretar las reglas de la sociedad, y siguen haciéndolo hoy en día. Además, estas historias iban de la mano de la magia. Los druidas, los magos y los hechiceros poseían una gran memoria, y su deber, antes de la aparición de la imprenta, era retener las historias de su cultura y transmitirlas a sus aprendices .

Las historias se convirtieron en una especie de moneda de cambio que viajaba por todo el mundo. Un buen ejemplo son *Las mil y una noches*, una amplia colección de historias que cobró vida en la India y viajó a través de los continentes en las lenguas de los comerciantes antes de que las recopilaran los mercaderes adinerados del segundo milenio. En el s. XVII, era habitual que hubiera narradores profesionales en las cafeterías de Bagdad, Damasco y El Cairo. Se sentaban en un lugar especial de la cafetería todas las noches y contaban historias que acababan en una situación tensa para asegurarse de que el público volviese la noche siguiente a la misma posada. Eran los precursores de las actuales telenovelas, y estos narradores tenían la capacidad de cautivar al público, mantenerlo completamente embelesado y que pidiera más.

Los mitos constituyen los grandes clásicos de la Antigüedad y han inspirado a generaciones de artistas desde entonces hasta ahora. Esta imagen se basa en la leyenda del minotauro. La línea representa el hilo que utilizó Teseo para no perderse en el laberinto en el que estaba encerrada la bestia.

"Minotauro", Theresa Brandon

Los dibujantes de fantasía desafían las convenciones, entre ellas las de composición y contenido, como se ve en esta imagen, en la que se añade un panel rectangular detrás de la bestia.

"Bulette", Anthony S. Waters

Es imposible elegir un único autor para estas grandes colecciones de mitos. Cada generación de narradores ha aportado cosas nuevas y los ha embellecido, y el proceso continúa hoy en día. Ahora te toca a ti recoger el testigo, quitar el polvo de los viejos mitos y zambullirte en el mar de las historias.

EL VIAJE DEL DIBUJANTE

Los narradores de hoy en día son los dibujantes, los escritores, los directores de cine y los músicos. La mayor parte de los artistas no empiezan su carrera después de acabar la escuela o la universidad: lo hacen mucho antes, cuando de niños cogen por primera vez un lápiz de color. Se puede tardar años en desarrollar las habilidades necesarias, y es un proceso continuo. Nunca se deja de aprender, y cuanto más mejores tu técnica, más disfrutarás al descubrir cosas nuevas.

Uno se puede ganar la vida de forma decente trabajando en este género, gracias a la popularidad de los videojuegos y las películas. Para controlar tus obras, narra tus propias historias y crea mundos originales, quizá necesitarás hacer otras cosas para conseguir dinero. A veces tendrás que ocuparte de tus proyectos por las noches o los fines de semana, pero debes estar seguro de una cosa: a todo el mundo le ha pasado lo mismo. Incluso si realizas una gran

novela gráfica o un guión excelente, puede que te pases años viendo cómo rechazan y hacen caso omiso de tu trabajo. Cualquier artista reconocido podría contar una historia similar, así que no desfallezcas, porque vale la pena.

PARA EMPEZAR

El género fantástico comprende un abanico enorme de estilos y temas literarios y artísticos. Incluye óperas espaciales como *Star Wars*, obras de guerreros y magos como las de Robert E. Howard, los libros de terror de Lovecraft y los superhéroes del cómic japonés y estadunidense. Si a esto se añade la mitología y leyendas clásicas, se ve claramente que es imposible que ningún libro abarque todo el género.

Por ello, me he centrado en las destrezas fundamentales necesarias para dibujar y crear personajes de fantasía y sus entornos. Siempre que ha sido posible, he mostrado cómo se pueden aplicar en algunos de los prototipos clásicos del arte fantástico y me he centrado en revelar consejos prácticos que espero que te ahorren horas de pruebas y errores. En el libro encontrarás ejercicios titulados "Consejo especial" que están pensados para ayudarte a que te embarques en el viaje hacia tu propio mundo fantástico.

Este dibujo de desarrollo para una producción animada de *La colina de Watership* muestra un plano de situación del Avalón legendario visto por un grupo de conejos errantes. Al tratarse de un plano tan amplio y al ver hierbas y flores tan altas en primer plano, da la impresión de que el observador es un conejo.
"*La colina de Watership*", Finlay Cowan

Esta ilustración se realizó para un álbum de música norteafricana de los maestros músicos de Jajouka, que es un grupo cuya herencia se remonta a más de tres mil años. Está pensado para sugerir el poder de la música que emerge como un demonio de arena de la desolación del desierto.
"*Jajouka*", Nick Stone y Finlay Cowan

FUNDAMENTOS herramientas

LA MAYORÍA DE LOS TRABAJOS QUE APARECEN EN ESTE LIBRO SE PUEDEN REALIZAR CON HERRAMIENTAS MUY SIMPLES, RELATIVAMENTE BARATAS Y FÁCILES DE CONSEGUIR, Y PUEDES IR MONTANDO TU EQUIPO POCO A POCO. AUNQUE LAS COMPUTADORAS SON MUY ÚTILES DURANTE TODO EL PROCESO, NO NECESITARÁS LOS EQUIPOS MÁS MODERNOS PARA EMPEZAR.

EQUIPAMIENTO DEL ESTUDIO

Viene muy bien tener un espacio propio para trabajar, pero no pasa nada si no es así. Muchos dibujantes prefieren compartir su lugar de trabajo con otros para motivarse mutuamente y compartir ideas. Otros prefieren trabajar solos, porque así se concentran más. En cualquier caso, necesitarás algunas de estas herramientas para trabajar.

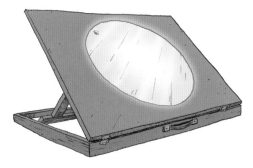

MESA DE DIBUJO

Las mesas de dibujo de fábrica suelen ser caras, pero puedes comprarte una de segunda mano o crearla con una tabla de madera de superficie lisa, como por ejemplo de cartón madera. Por razones de salud, es importante que la mesa de dibujo sea reclinable. Si la colocas en un buen ángulo, estarás en una buena postura y no cargarás la espalda. La mesa de dibujo que aparece aquí tiene una bombilla incorporada.

ESCRITORIO Y SILLA

Si es posible, coloca el escritorio delante de una ventana para tener buena iluminación. Elige una silla de oficina con respaldo que te permita mantenerte erguido. La altura de la silla debería permitirte apoyar los brazos sobre el escritorio cuando te inclines en ángulo recto, con los pies asentados en el suelo. Te vendrá muy bien que la silla sea giratoria para cuando tengas que alcanzar un libro o trabajar con la computadora.

COMPUTADORA

Algunos dibujantes utilizan una computadora portátil para poder retirarla cuando no lo estén utilizando. Además, la pantalla se puede inclinar dependiendo de la postura. Lo ideal es que esté más alla que la mesa, para que no tengas que girar demasiado la cabeza. Deberías tener las manos o los antebrazos apoyados; para ello, puedes colocar almohadillas sobre el escritorio. El lugar en el que coloques la computadora dependerá de la silla, así que organízate para que sea lo más cómodo posible.

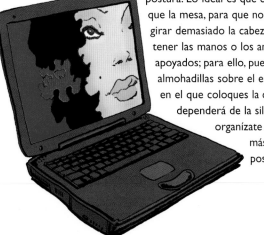

ILUMINACIÓN

Para cuidar la salud de tus ojos, es imprescindible una buena iluminación. Las lámparas de cuello flexible son muy útiles, porque las puedes recolocar fácilmente. Si eres diestro, colócala a la izquierda sobre la mesa para evitar sombras. Si eres zurdo, hazlo al revés.

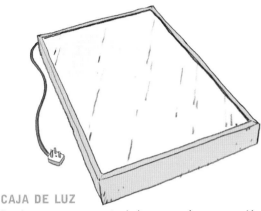

CAJA DE LUZ

Puedes comprar una caja de luz o crearla con un cajón viejo, una lámina de plexigás y un foco fluorescente. Sirve para crear diferentes variaciones del mismo dibujo. Por ejemplo, si realizas un boceto, colócalo sobre la caja y cálcalo para crear una versión limpia, una entintada, otra en acuarela, etc. También sirve para mezclar imágenes. Puedes dibujar elementos diferentes de una misma composición por separado y después juntarlos y modificarlos sobre la caja. Para esto mismo puedes utilizar papel calca, pero el efecto no es tan bueno. Algunos dibujantes utilizan una caja de luz incorporada en la mesa de dibujo para poder emplear las dos sin tener que moverse.

MATERIAL BÁSICO

Éstos son los utensilios básicos para dibujar. En las páginas 94 y 95 encontrarás material específico para trabajar con rotuladores, tinta y pintura, y en las páginas 110 y 111 se describe con más detalle el *hardware* y *software* que te puede resultar útil.

PAPEL

Algunos dibujantes emplean papel de tamaño carta porque cabe en los escáneres, pero es bastante pequeño y puede afectar la calidad del trabajo. Como regla general, es mejor trabajar con tamaños grandes. Hay muchos tipos de papel para elegir. Las láminas grandes para trabajar con acuarela o los papeles de dibujo barato tienen una textura gruesa y funcionan muy bien con tramas. Algunos dibujantes prefieren utilizar cartulinas suaves, pero son bastante caras. Otros utilizan papel fino porque es más barato.

LÁPICES

La mayor parte de los dibujantes utilizan lápices duros o blandos dependiendo del trabajo. Como norma general, los lápices gruesos y blandos son ideales para dibujar a gran tamaño y conseguir muchos detalles y tonos expresivos. Muchos emplean un portaminas con mina blanda porque consigue un trazo consistente y no hay que afilarlo. Los portaminas son muy útiles en el momento de añadir detalles pequeños.

BORRADORES

Las gomas grandes sirven para borrar superficies grandes y para limpiar, y las finas para brillos. En muchas obras se utiliza una técnica que consiste en dibujar muchas líneas, borrar algunas, después añadir más a lápiz y seguir así hasta crear cuerpo y profundidad. Se podría decir que la goma es como un lápiz al revés.

ARCHIVADOR PLANO

Puede que parezca un pequeño lujo, pero conforme pase el tiempo te darás cuenta de que necesitas archivar tus obras, y un archivador plano es la mejor elección. Los archivadores de roble antiguos son caros, pero los modernos de segunda mano son más accesibles.

ESCOBILLA

Puedes comprarla en tiendas de fotografía. Es muy útil para limpiar los restos de la goma de borrar sin manchar el dibujo.

EL GÉNERO FANTÁSTICO ES UNO DE LOS MEDIOS DE ENTRETENIMIENTO MÁS POPULARES DEL MUNDO. HA DADO LUGAR A INNUMERABLES LIBROS, CÓMICS Y PELÍCULAS, Y ADEMÁS HA CREADO UNA INDUSTRIA MUNDIAL DE *MERCHANDISING*, JUEGOS, MÚSICA ROCK Y MOVIMIENTOS DE *FANS* (CONVENCIONES, SOCIEDADES Y FESTIVALES).

La demanda de ilustradores de fantasía se ha mantenido estable durante décadas. Los últimos avances en imágenes generadas por computadora han aumentado aún más esta demanda, pues Hollywood emplea el género para desarrollar mejores efectos especiales. Los ilustradores de fantasía trabajan en una amplia variedad de áreas, desde la producción de portadas de libros y cómics hasta cualquier aspecto del diseño para la gran pantalla.

CINE

A los dibujantes que trabajan en la industria cinematográfica se les suponen conocimientos informáticos, pero lo fundamental es que tengan capacidad para dibujar, visualizar y colorear. La mayoría de los dibujantes que trabajan en el sector se especializan en un área, aunque muchas veces realizan varias tareas.

GUIONISTAS GRÁFICOS

Los guionistas gráficos trabajan muy de cerca con el director y el departamento artístico para crear una especie de cómic de toda la película antes de rodar las tomas. En él se ven los ángulos de cámara, los movimientos y la composición de cada toma. Se producen de forma muy rápida y con un estilo muy suelto.

Se puede emplear una gran cantidad de técnicas y materiales para realizar imágenes creativas e innovadoras. Esta ilustración se hizo con 3D Studio Max, Photoshop y Painter. *"Kim", David Spacil*

DISEÑO DE PREPRODUCCIÓN

Las películas de fantasía o ciencia ficción parten de un largo proceso de preproducción en el que se reúne un amplio grupo de dibujantes para crear dibujos, pinturas y esculturas de casi cualquier aspecto de la película. Prácticamente todos los que trabajan en este proceso son buenos dibujantes y pintores con conocimientos informáticos.

DISEÑO POR COMPUTADORA Y ANIMACIÓN

En cualquier película de fantasía son necesarios especialistas en animación por computadora y de efectos especiales. Los programas que utilizan son muy complejos y los técnicos de esta especialidad aprenden a manejar *software* nuevo continuamente. Aunque no es tan importante tener habilidad para el diseño, casi todos los que se dedican a esto tienen una formación tradicional en dibujo o pintura.

CREACIÓN DE MODELOS

Hay varias empresas especializadas en la creación de modelos, animatrónicos (marionetas avanzadas), trajes y armaduras para películas y series de televisión. En ellas trabajan dibujantes y muchos se especializan en un área. Por ejemplo, algunos se centran en las armaduras o la metalistería, y otros en las esculturas o en las bestias fantásticas.

ILUSTRACIÓN

Los ilustradores de fantasía pueden trabajar en una gran variedad de sectores relacionados con la publicidad. Aunque en esta industria trabaja gente de todo el mundo, no es tan lucrativa como la cinematográfica. También se emplean ilustraciones fantásticas en las empresas musicales, especialmente en el *heavy metal* y el *rock*.

Este *collage* realizado con *Photoshop* es un buen ejemplo de cómo se puede utilizar la tecnología digital para crear texturas ricas y colores suntuosos. Se han empleado diversos efectos para crear mezclas sutiles y transiciones entre los elementos para conseguir una imagen sin fisuras. *"Collage", Jon Crossland*

LIBROS

También existe un amplio mercado mundial de novelas de fantasía, que se suelen agrupar en series largas. Los dibujantes se encargan de las portadas, y lo suelen hacer de toda la serie. El estilo es diferente al empleado en el cine, pues la ilustración requiere más detalle que la visualización, y normalmente se colorea con pintura.

CÓMICS

Los cómics y novelas gráficas de ciencia ficción o fantasía, tanto para niños como para adultos, son un género muy popular. En este campo, se puede trabajar como dibujante, entintador, colorista o rotulista. Algunos dibujantes escriben los guiones y dibujan ellos mismos los cómics.

JUEGOS DE ROL

La popularidad de los juegos de rol ha crecido en los últimos años desde la aparición del juego *Dungeons and Dragons*, de un estilo similar al de la obra de Tolkien. Al mercado llegan continuamente productos nuevos y las cartas de coleccionista aparecen en diversos géneros. Los productores de juegos encargan a los dibujantes que desarrollen personajes y creen ilustraciones para las cartas.

JUEGOS DE COMPUTADORA

Los juegos de computadora son un gran negocio. Por ejemplo, el videojuego de una película reciente de James Bond recaudó más dinero que la propia cinta, lo que la convierte en una simple publicidad cara para el juego. Las empresas monolíticas que producen los juegos contratan a un gran número de dibujantes para que diseñen ideas y materiales gráficos iguales a los de las películas. Se necesitan dibujantes con formación tradicional, además de conocimientos informáticos. Hay dibujantes que pasan de trabajar en las películas a los videojuegos fácilmente, ya que los requisitos son los mismos.

Este diseño conceptual para un videojuego se sumerge en la mitología antigua para crear un personaje demoníaco para el público moderno.
"Vision-Kazel", David Spacil

El contraste absoluto entre la cubierta del barco y el fondo es muy propio de las películas de animación. La imagen se dibujó en un plano largo para mostrar todo el fondo posible. La curva que realiza la cubierta y las nubes realzan este efecto.
"Mar del sur de China", Finlay Cowan

ES MUY PROBABLE QUE QUIERAS APRENDER A DIBUJAR ELEMENTOS DE
FANTASÍA PORQUE ES UN GÉNERO QUE TE ATRAE, PERO A VECES BUSCAR
INSPIRACIÓN EN EL MUNDO QUE TANTO TE GUSTA NO ES
LO MEJOR. PUEDE SER UN PUNTO DE PARTIDA, PERO
EL GÉNERO FANTÁSTICO NECESITA IDEAS NUEVAS
PARA NO DETENERSE.

Un buen libro de referencia
te puede inspirar a partir de
ideas propias del mundo
cotidiano, como por
ejemplo este híbrido
de flor y hada.
"Iris danzarina",
Myrea Pettit

Los libros educativos son
una referencia ideal para el
dibujante de fantasía. Esta
colección en siete
volúmenes de segunda
mano de *Gente de todas las
naciones,* de los años veinte,
es un recurso excelente
para trajes, armaduras,
maquillajes, joyería y
cualquier cosa relacionada
con atuendos. Además,
cuesta casi lo mismo que
un libro de "Cómo se hizo".

LIBROS DE ILUSTRACIONES

El arte fantástico recibe una gran influencia del
clásico, y muchos de los dibujantes más famosos
aprendieron las técnicas de artistas tradicionales. Por
ejemplo, los prerrafaelitas del siglo XIX han servido
muchas veces como referencia en el género
fantástico. Los libros de ilustraciones son una fuente
increíble de técnicas e imágenes, pero suelen ser
caros, a menos que los compres de segunda mano.

LIBROS EDUCATIVOS

Aunque los libros de ilustraciones son muy útiles
para recopilar ideas, a veces pueden estar demasiado
cargados de cuestiones estilísticas y técnicas. Por eso
es conveniente crearse una colección de libros de
referencia normales, que pueden ser los de texto
empleados en escuelas o facultades y que son fáciles
de encontrar en tiendas de segunda mano. No tienen
por qué estar bien impresos ni es necesario que sean
perfectas; aquí es más importante tener una cantidad
abundante de material al que acudir que la calidad de
la impresión. Esos libros que resultan aburridos
cuando uno está en la escuela pueden cobrar una luz
nueva cuando necesites una ilustración que convertir
en algo nuevo. Si necesitas una imagen de referencia
de una serpiente o un lagarto que se convierta en
un demonio infernal, este tipo de libros te serán de
gran utilidad.

LIBROS DE "CÓMO SE HIZO"

Otra fuente de inspiración importante son los libros
de "Cómo se hizo" de películas como *Star Wars* o *El
Señor de los Anillos*. En este tipo de publicaciones
encontrarás indicaciones sobre lo que tienes que
conseguir si deseas trabajar en la industria
cinematográfica. No debes caer en la trampa de
repetir ideas existentes. Estos libros suelen ser caros
y no se encuentran normalmente de segunda mano.

MUSEOS

La mayor parte de las ciudades importantes tienen un
museo de historia natural, que te pueden ser muy útiles
para dos tipos diferentes de referentes. El primero es la
anatomía animal. Los esqueletos de animales, y en
concreto los cráneos, son un punto de partida excelente
para dibujar animales fantásticos. Además, las pieles y sus
métodos de camuflaje pueden darte ideas para ropas,
armaduras y tipos de pelaje. El segundo referente son las
colecciones etnográficas y antropológicas que reúnen
ropas tribales de todo el mundo, armas, armaduras y
todo tipo de artilugios extraños y maravillosos que
muestran la evolución de la humanidad. Algunos son
impresionantes y a menudo mucho más raros que los
ficticios. Si no tienes un museo cerca de casa, puedes
visitar la página *web* de alguno que te interese.

En los museos suele haber postales a la venta, que son una buena forma de coleccionar material interesante sin tener que comprar las guías de los museos, mucho más costosas.

Llena los álbumes de recortes con trozos de envolturas o material gráfico, por irrelevante que parezca, así como tus propios garabatos.

ÁLBUMES DE RECORTES

Es interesante coleccionar recortes de periódicos y revistas y almacenarlos. No hay por qué preocuparse demasiado por organizar las imágenes en un orden determinado. Si no lo haces, es más probable que te surjan ideas interesantes cuando las vayas revisando. A menudo verás que, cuando busques algo, te encontrarás con otra cosa completamente diferente que te llevará en una dirección inesperada.

RECUERDOS

Los recuerdos pueden ser cualquier cosa, desde el molde de un cráneo a una piña bonita o un trozo de tela decorada. Cualquier objeto, por pequeño que sea, tiene una historia. ¿Por qué lo hicieron? ¿Qué simboliza? ¿De quién era? ¿Por dónde ha pasado hasta llegar a mis manos? Deberías tener presentes estas preguntas en todo momento porque vivimos en el mundo de las historias, en el que la magia, el misterio y la fantasía son parte de nuestras vidas. Yo me rodeo de varios objetos que me ayudan a seguir trabajando, que me recuerdan que mi actividad consiste en crear y recrear una sensación fascinante e imaginativa.

Puede que no utilices estos recuerdos como material de referencia directo, pero crean un ambiente agradable para trabajar.

FUNDAMENTOS desarrollo de ideas

PARA DISEÑAR UN PERSONAJE DE FANTASÍA ES IMPRESCINDIBLE CONOCER SU PERSONALIDAD. DEBES ESCRIBIR NOTAS QUE SE DIVIDAN EN SUS HABILIDADES, PERSONALIDAD, PUNTOS DÉBILES Y MOTIVACIÓN.

Todos los personajes tienen una "necesidad dramática", que es la parte de su personalidad que les motiva a hacer lo que hacen. Podría ser algo que les ocurrió en sus vidas, un punto débil de su personalidad o el poder del destino que ejerce su influencia. Es el motivo por el que se embarcan en una aventura. Por ejemplo, Harry Potter es un huérfano que no recuerda a sus padres, por lo que su necesidad dramática es descubrir quién es en realidad y de dónde procede. Es algo que se revela en su personalidad y en sus expresiones, pues a menudo se muestra curioso y abierto a cosas nuevas.

HOJAS DE DESARROLLO

Una vez que conozcas la personalidad del personaje, empieza a trabajar con hojas de desarrollo. Son dibujos en los que muestras al personaje con apariencias diferentes para ver cuál queda mejor con su personalidad y para agudizar o refinar los rasgos. Es un proceso imprescindible en la animación, y útil para cualquier dibujante

COMPOSICIÓN

La actitud de un personaje afectará al conjunto de la composición de un dibujo o pintura a la hora de añadir los fondos. Lo primero que debes tener en cuenta es el mensaje que deseas transmitir, es decir, ¿cuál es la atmósfera de la imagen? ¿Quieres que haya un aire de tranquilidad y calma o debería ser una imagen que refleje una premonición oscura? Es muy importante crear un impacto dinámico, por lo que debes tener en cuenta el ángulo de la imagen.

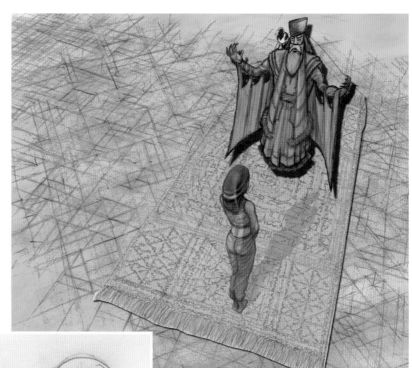

La composición de esta imagen de desarrollo para una producción animada sugiere que la chica es una prisionera del mago, cuya posición en la imagen se enfatiza por los dibujos de la alfombra. El fondo se ha dejado vacío deliberadamente para centrar la atención en los personajes.

Esta serie de personajes se realizó para una versión animada de *Las mil y una noches*. Se experimentó con velos de tipos diferentes, entre ellos el beduino, el indio y el iraní.

EXPLORAR UN TEMA

Muchos dibujantes exploran los mismos temas durante toda su carrera y realizan interpretaciones diferentes de una misma idea en un largo período de años. Claude Monet pinto la catedral de Rouen varias veces, y René Magritte, el pintor surrealista, incorporaba repetidamente motivos como hombres con bombines en su obra. Storm Thorgerson, ilustrador de carátulas de discos, emplea siempre motivos similares en su obra. A mí me encargaron desarrollar estas interpretaciones diferentes de ventanas durante unos años hasta que finalmente se empleó en la carátula de un álbum de Pink Floyd.

1 LOCURA Y ENCARCELACIÓN

Las ventanas sirven como marco para colocar objetos y acontecimientos diferentes, que a la vez crean una sensación de voyerismo y claustrofobia.

2 REDES HOLÍSTICAS

Esta versión del marco estaba llena de símbolos y objetos que hacen referencia a disciplinas e ideas multimedia, como las artes visuales, la literatura, la música y la filosofía.

3 PARANOIA Y SUBTERFUGIO

Este diseño para el álbum de Bruce Dickinson *Skunkworks* intentaba evocar el mundo oscuro de los espías y las teorías conspirativas. El árbol con forma de cerebro de la ventana del fondo se convirtió en parte de otra idea que apareció en la carátula final.

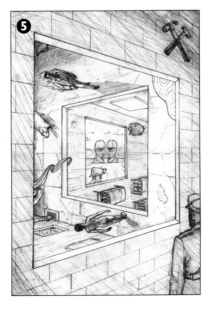

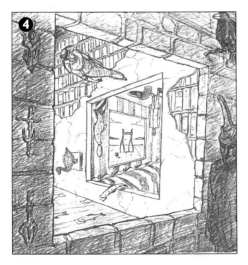

4 CONFEDERACIÓN DE EXCÉNTRICOS

En esta interpretación, cada plano representaba a un miembro diferente del grupo islandés Ragga y hacía alusión a un aspecto de la personalidad de cada uno.

5 PÓSTER DE PINK FLOYD

Esta recopilación de objetos de las portadas del grupo se creó para un póster conmemorativo de su trigésimo aniversario. Aunque al grupo le gustó, finalmente emplearon una de las ideas de Storm.

6 ÁLBUM DE PINK FLOYD

El marco de la ventana era una buena forma de mostrar varios objetos o ideas en un espacio reducido sin abarrotar una composición fuerte, y por ello resultaba ideal para el álbum *Echoes*. Después de varios bocetos, Storm lo fotografió y sólo hizo unos pequeños retoques digitales.

FUNDAMENTOS guiones gráficos

UN GUIÓN GRÁFICO CONSISTE EN DESCOMPONER UNA SECUENCIA DE UNA HISTORIA EN CIERTAS TOMAS ESPECÍFICAS. ES CONVENIENTE QUE CUALQUIER DIBUJANTE DE FANTASÍA DOMINE ESTA TÉCNICA.

Para crear guiones gráficos, hay que ser rápido y tener un repertorio amplio de referencias. En ese momento, hay que interpretar las ideas de otros y desarrollar la habilidad para contar una historia de forma rápida y clara. Los guiones gráficos no emplean técnicas ni estilos artísticos meticulosos, que a veces requieren años para desarrollarlos. En vez de eso, requieren buenos fundamentos de diseño, anatomía y narración visual. Cualquiera que esté interesado en el género fantástico necesitará estas facultades, así que empezaremos por hacer un repaso rápido por los principios básicos de los guiones gráficos y la narración de historias.

TERMINOLOGÍA DE PLANOS

El lenguaje que emplees para describir una secuencia de acontecimientos y cómo los va a ver el espectador afectará a la forma en que pienses cómo contar la historia. Para empezar, echemos un vistazo a algunos de los términos fundamentales para describir los planos en cualquier película. Aunque quieras usar tus trabajos para ilustraciones o juegos de computadora, pensar en términos de guión gráfico te ayudará a cristalizar y centrar las ideas antes de plasmarlas en papel.

■ **PRIMERÍSIMO PRIMER PLANO.** Un plano muy cercano que resalta una reacción.

■ **PRIMER PLANO.** La cara y cabeza del personaje u objeto.

■ **PLANO MEDIO CORTO.** Cabeza y hombros.

■ **PLANO MEDIO.** De la cabeza a la cintura.

■ **PLANO MEDIO LARGO.** De la cabeza a las rodillas.

■ **PLANO ENTERO.** De la cabeza a los pies.

■ **PLANO GENERAL.** Un plano en el que se ve la localización.

■ **PICADO.** Se mira hacia abajo desde el ángulo del actor u objeto.

■ **CONTRAPICADO.** Se mira hacia arriba desde el ángulo del actor u objeto.

SECUENCIA DE BATALLA

1 *Fundido de apertura en plano largo. Travelling de izquierda a derecha.* También se denomina plano de situación. Se ofrece una vista general del lugar y de lo que está sucediendo. Se ve a un grupo de soldados que se dirige a una ciudad sitiada sobre una colina.

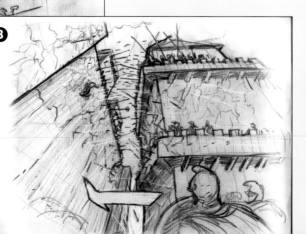

2 *Corte a contrapicado de torre de asalto.* Gracias al plano anterior, el espectador sabe que hemos saltado al final de la colina, donde tiene lugar la batalla. El contrapicado resalta que los soldados avanzan a pesar de la fiera resistencia de sus oponentes, con la torre de asalto gigante detrás de ellos.

3 *Corte a otro contrapicado de la torre de asalto.* El espectador contempla el muro de la ciudad sitiada. La flecha indica que la torre se está acercando a la muralla, aunque no es necesario incluirla porque el movimiento está implícito. El contrapicado muestra la existencia de soldados en lo alto de la torre y facilita así el paso al plano siguiente.

- ■ **PUNTO DE VISTA.** Desde el punto de vista del personaje.
- ■ **SOBRE EL HOMBRO.** Se mira algo sobre el hombro de un personaje.
- ■ *TRAVELLING.* La "cámara" (en este caso, el espectador) se mueve hacia delante o hacia atrás, o hacia un lado.
- ■ *ZOOM.* La cámara no se mueve, pero el fotograma cambia y el personaje aumenta de tamaño.
- ■ **INCLINACIÓN.** La cámara se inclina hacia arriba o hacia abajo.
- ■ **PANORÁMICA.** La cámara gira a la derecha o a la izquierda sobre el eje.
- ■ **MOVIMIENTO DE GRÚA.** La cámara está colocada sobre una grúa y se puede mover en todas las direcciones.

TRANSICIONES

Éstos son algunos términos básicos para describir la transición de un plano a otro.

- ■ **CORTE.** Cambio brusco de un plano a otro. Es la transición más común.
- ■ **FUNDIDO DE APERTURA.** La imagen surge gradualmente de una pantalla en blanco o negro.
- ■ **FUNDIDO DE CIERRE.** La imagen se funde en una pantalla en blanco o negro.
- ■ **ENCADENADO.** Una imagen aparece sobre otra, y la primera desaparece gradualmente.

4 *Corte a plano largo en lo alto de la torre con soldados a punto de saltar.* Una vez más, al espectador no le queda duda de que estamos en lo alto de la torre de asalto, que se dirige a los muros de la ciudad sitiada, porque el plano anterior lo dejaba claro. El plano largo da la impresión de lo que está ocurriendo antes de entrar en acción en el plano siguiente.

5 *Corte a primer plano en picado del héroe saltando.* Este primer plano lleva al héroe al centro de la acción e indica que es el primero en saltar. Gracias al picado se muestra el vacío debajo de él y enfatiza la agitación del momento.

6 *Corte a plano medio en contrapicado sobre el hombro del soldado enemigo derrotado por el héroe.* El contrapicado resalta el dramatismo del héroe en acción, y el plano medio mete de lleno al espectador en la acción e incrementa la emoción. Al utilizar un plano sobre el hombro, la violencia es menos explícita, porque no se ve cómo la espada le atraviesa el cuerpo.

7 *Corte a plano medio del héroe que mira en derredor.* El plano medio nos deja ver a las tropas comandadas por el héroe que saltan detrás de él al muro, sin duda motivados por la gallardía de su líder. Se han añadido motas de barro y sangre, así como humo y flechas, para resaltar el caos de la escena. Así se consigue una impresión general de velocidad y movimiento.

dibujar a los personajes

y sus mundos

EXISTEN MUCHOS TIPOS DIFERENTES DE PERSONAJES DE
FANTASÍA, ABARCAN DESDE LOS HÉROES Y LAS HEROÍNAS
HASTA LOS MAGOS Y LAS BESTIAS. EN ESTE CAPÍTULO
APRENDERÁS A DIBUJAR CARAS Y CUERPOS,
CÓMO ADORNARLOS CON ROPAS, ARMADURAS Y OTROS
ACCESORIOS, ASÍ COMO A ANIMARLOS DE FORMA
CONVINCENTE. TAMBIÉN ENCONTRARÁS UNA SECCIÓN PARA
APRENDER A DIBUJAR MUNDOS FANTÁSTICOS PARA QUE TUS
PERSONAJES LOS HABITEN, DESDE LOS PRINCIPIOS DE LA
PERSPECTIVA A LOS DETALLES ARQUITECTÓNICOS.

HÉROES rostros

EL HÉROE (O HEROÍNA) REPRESENTA A LA PERSONA A LA QUE SE LE NARRA LA HISTORIA Y CREA UNA CONEXIÓN CRUCIAL ENTRE LA HISTORIA Y EL PÚBLICO. SIN ÉL, NO HABRÍA PUNTO DE ENLACE CON EL ARGUMENTO Y ÉSTE NOS DARÍA IGUAL. LA CARA DEL PERSONAJE NORMALMENTE ES VITAL PARA COMPRENDER SU PERSONALIDAD.

VISTA FRONTAL

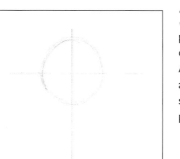

1 Dibuja una cruz para "colgar" la cara en ella. Añade un círculo achatado que te sirva como guía para el cráneo.

5 Dibuja la forma principal del pelo. El cabello cambia por completo la apariencia de un personaje, así que introduce sólo algunas líneas antes de dibujar con detalle. Cuando estés satisfecho, sombrea los bordes del rostro engrosando las líneas en las zonas que se junta con el pelo.

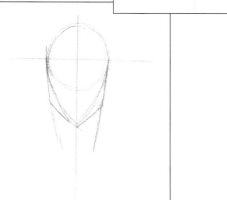

2 Añade líneas para los pómulos, la mandíbula y el cuello. Ten en cuenta que la mandíbula y los pómulos coinciden en esta etapa del desarrollo.

3 Perfila los rasgos faciales. Dibuja primero la línea de la boca, porque si colocas primero la nariz, normalmente será demasiado larga y empujará a la boca muy abajo. Dibuja los ojos en forma de círculo, y así más tarde te resultará fácil darles profundidad. Traza la línea de las cejas sobre las cuencas de los ojos. Después, añade el cuello y las clavículas.

4 Fortalece los rasgos. Dibuja las pupilas y después reduce la abertura del ojo sobre el globo ocular. Añade sombras a las cuencas y resalta las pupilas. Debes estar dispuesto a rectificar si te equivocas. Dale cierta expresión a la boca.

6 Si te gusta la apariencia del personaje, no te compliques ni le hagas demasiados detalles a lápiz. Ya añadirás profundidad y detalle con color. Este ejemplo se coloreó con *Photoshop* (véase pág. 112 y 113).

PERFIL

1 Empieza con un óvalo achatado que esté ligeramente inclinado hacia delante. La parte frontal del rostro debe estar inclinada un poco hacia atrás. Dibuja el contorno de la mandíbula de forma que se intersecte con el óvalo donde vayas a colocar la oreja. Añade la forma del cuello y una línea para el pecho. En este ejemplo, el cuello está inclinado hacia delante y el pecho sobrepasa la parte delantera de la cara.

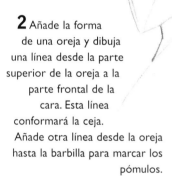

2 Añade la forma de una oreja y dibuja una línea desde la parte superior de la oreja a la parte frontal de la cara. Esta línea conformará la ceja. Añade otra línea desde la oreja hasta la barbilla para marcar los pómulos.

3 Dibuja la línea de la boca. Date cuenta de que puedes añadir el detalle del labio. Dibuja también la cuenca del ojo y la pupila. Añade la clavícula y parte del torso.

4 Dibuja la ceja. En este caso, se ha exagerado la protuberancia para añadir energía al dibujo. Repasa el contorno del ojo y la ceja para remarcar la fuerza y la expresión. Detalla más la nariz y la oreja. Observa cómo se ha modificado el pómulo para que tenga más forma y cómo se ha reforzado la línea de la mandíbula.

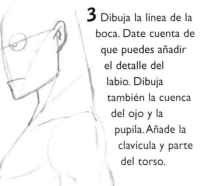

5 Dibuja las líneas básicas del pelo para ver cómo cae. Añade el cuello, una túnica o cualquier otro tipo de vestimenta u ornamentación.

6 Sigue remarcando las líneas para crear un dibujo con fuerza. Sombrea y detalla el pelo y la cara.

UN CONSEJO ESPECIAL

■ *Dibuja al mismo personaje varias veces para crear un estudio de personaje que te ayudará a definir su personalidad.*
■ *Elige uno de los bocetos para entintarlo o colorearlo (ver páginas 94 a 109). Calca una copia con una caja de luz para no perder el boceto original a lápiz. Así podrás experimentar sin miedo a estropearlo.*
■ *Escanea uno de los dibujos a lápiz y coloréalo con la computadora para probar versiones diferentes.*

Este personaje es un elfo al más puro estilo Tolkien, con las orejas puntiagudas, rasgos aguileños y piel y cabello claros. Está en una pose contemplativa, con las manos apretadas como si rezara. Pero también queda claro que es un guerrero gracias a la armadura y la espada.
"Royben", Theodor Black

HÉROES expresiones

PARA RESALTAR EL DRAMATISMO DE LA HISTORIA Y DAR PROFUNDIDAD AL PERSONAJE QUE HAS CREADO, TIENES QUE DOTAR DE EXPRESIVIDAD LA CARA DEL HÉROE. HACEN FALTA AÑOS PARA PERFECCIONAR LAS TÉCNICAS DE EXPRESIÓN DE EMOCIONES, PERO LAS PRINCIPALES SON FÁCILES DE APRENDER.

CONSTERNACIÓN

Para indicar tristeza o consternación, se trazan las cejas hacia arriba en la zona de encima de la nariz.

CEÑO FRUNCIDO

Para fruncir el ceño se inclinan las cejas hacia el centro de la cara, donde se juntan encima de la nariz.

IRA

Para expresar ira, se hace lo mismo que para fruncir el ceño, pero los globos oculares son más grandes y los músculos faciales están deformados. Al añadir líneas a cada lado de la nariz, el rostro parecerá más brutal y enfadado.

RISA

La boca está abierta y los dientes brillan. Cuando la gente ríe, se estrechan los ojos.

SORPRESA

Las cuencas de los ojos son muy grandes y las pupilas flotan en la esclerótica. En este ejemplo, las cejas están inclinadas hacia abajo, aunque no es un detalle necesario.

SOSPECHA

Para indicar que el personaje sospecha algo o está pensando, se puede inclinar una ceja hacia arriba y la otra hacia abajo. Además, si la boca está inclinada dará la impresión de que ha reaccionado de forma irónica. En este caso, las pupilas miran a un lado, como si el personaje estuviese pensando para sus adentros.

UN CONSEJO ESPECIAL

■ *Piensa en los rasgos personales de dos héroes muy diferentes. Anota sus destrezas, habilidades, rasgos personales, puntos débiles y motivaciones.*

■ *Piensa en una situación en la que reaccionarían de forma diferente a un mismo reto y describe en qué saldrían ganando o perdiendo.*

■ *Haz un boceto de la escena y pregúntate si en tu dibujo se muestran las diferencias entre los personajes.*

Para conseguir una expresión específica es necesario estudiar de cerca la anatomía facial y usar un espejo. En este caso, se muestra una mezcla de rabia y asombro.

"Warrior Kings, personaje I", Martin McKenna

NACIONALIDADES

En los mundos de fantasía habitan héroes de todas las nacionalidades. Aquí tienes una muestra para que veas cómo se adapta una cara con cambios mínimos.

ÁRABE

Este héroe es joven y atractivo, y tiene una nariz fuerte. La barba corta y el bigote le dan cierta apariencia caballeresca. El pelo negro es corto para que parezca mayor y más masculino.

CELTA

La nariz de este héroe es mucho más pequeña que el resto, lo que sugiere su origen celta. Tiene el pelo rojo y grueso, y ojos verdes.

INDIO

Los pómulos y la nariz de este personaje son muy distintivos. El pelo es grueso y negro y los labios pálidos.

AFRICANO

La cara clásica africana tiene la nariz amplia y gruesa y labios carnosos. Este héroe parece fuerte y dueño de sí mismo. En un lado de la cabeza se ha añadido un tatuaje.

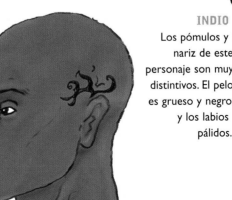

HÉROES cuerpos

INVENTAR PERSONAJES FANTÁSTICOS PERMITE A LOS DIBUJANTES DAR RIENDA SUELTA A SU IMAGINACIÓN Y CREAR CUERPOS IMPOSIBLES. SIN EMBARGO, LA FORMA HUMANA BÁSICA NO SUELE CAMBIAR, Y ASÍ EL PÚBLICO SE IDENTIFICA CON MÁS FACILIDAD CON LAS FORMAS EXTRAVAGANTES DEL MUNDO FANTÁSTICO.

PROPORCIONES

HOMBRE MEDIO

La unidad con la que se miden las proporciones del cuerpo humano es una cabeza. La longitud del hombre medio suele equivaler a unas siete cabezas pero, aunque resulte extraño, tiene mejor aspecto cuando se dibuja con una proporción de ocho.

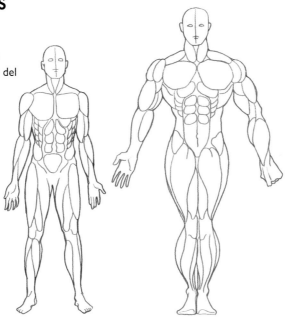

BÁRBARO MEDIO

En comparación, los personajes fantásticos suelen ser más altos y grandes en todos los aspectos. Los músculos están exagerados y estilizados.

CONSTRUIR UN CUERPO

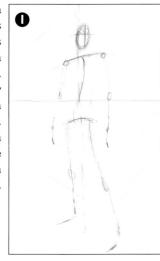

1 Un truco para dibujar los cuerpos es empezar con algunas líneas de perspectiva (ver página 81). Resultará impactante y te servirá como guía para dibujar el cuerpo. Empieza dibujando una figura de palos que describa la postura general.

2 Dibuja los músculos sobre el esqueleto de palos. Seguramente tendrás que borrar mucho y probar posturas diferentes. En este caso, se ha adelantado la pierna derecha para mejorar el equilibrio de la figura. No hace falta detallar demasiado los músculos, pero de ellos dependerá la caída de la ropa.

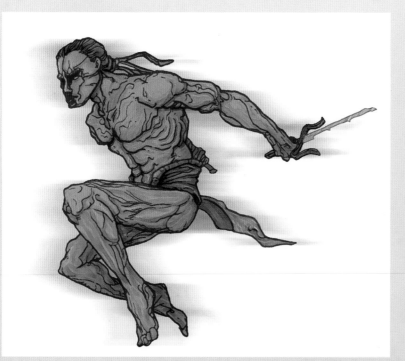

UN CONSEJO ESPECIAL

■ *Dibuja un cuerpo entero de una vez. Después, realiza una serie de retoques para detallarlo.*

■ *Tendrás que repasar muchas de las líneas varias veces para reforzar algunos aspectos del cuerpo, especialmente el contorno.*

■ *Realiza el dibujo suelto. Al final podrás borrar lo que no necesites.*

Esta ilustración de un samurái desterrado muestra una musculatura muy desarrollada que desafía las leyes de la anatomía. *"Ronin", Finlay Cowan*

3 Con la ropa dotarás al personaje de una personalidad definida. Ten en cuenta que la ropa de este héroe está ajustada y las líneas se han dibujado por fuera de las líneas originales del cuerpo. Añade líneas finas para sugerir las arrugas de la ropa en las zonas en las que las articulaciones giren. Sigue trabajando en la figura general e intenta no centrarte demasiado en los detalles.

MANOS

Las manos y el rostro son las partes más expresivas del cuerpo, por lo que a menudo requieren tanta atención como el cuerpo entero. Es conveniente utilizar el mismo método para dibujar las manos que el resto de la figura. Empieza con algunas líneas de dirección y crea la forma principal con formas simples. Emplea tus manos como modelo y ten cerca un espejo para las posiciones difíciles.

4 Permítete la libertad de ser descuidado. Las líneas de los bocetos a menudo crean detalles que puedes aprovechar después. Además, al final puedes borrar cualquier cosa que no te guste. Para acabar el dibujo, realiza una "versión limpia" con una caja de luz o simplemente pule el boceto original a lápiz. En esta imagen, la mayor parte de las líneas se han empleado para dar textura a la ropa y profundidad a la expresión del personaje.

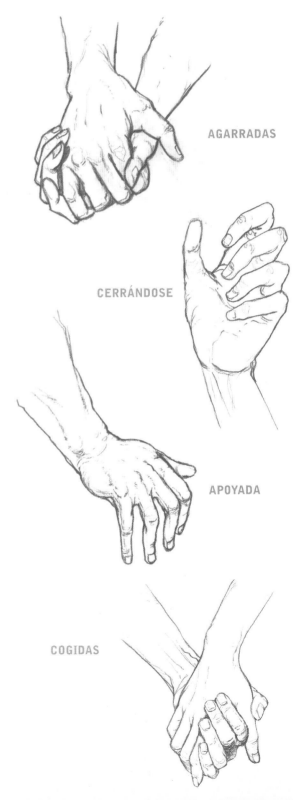

AGARRADAS

CERRÁNDOSE

APOYADA

COGIDAS

FLUJO DE ENERGÍA

La postura del cuerpo en su conjunto, y especialmente la de los miembros, tiene un flujo de energía, que es una línea que recorre el cuerpo y le confiere armonía y consistencia a la pose. Estas imágenes muestran cómo los grupos musculares de los brazos y piernas forman una ligera curva hacia el dedo principal (el índice o el pulgar).

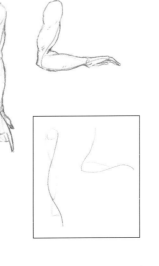
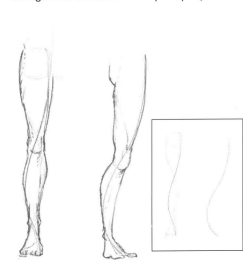

HÉROES prototipos

HAY HÉROES DE TODAS LAS FORMAS Y TAMAÑOS. PIENSA EN FRODO BOLSÓN DE *EL SEÑOR DE LOS ANILLOS*. PUEDE QUE A LA HORA DE CREAR UN HÉROE, LO PRIMERO QUE SE TE OCURRA NO SEA UN SER MEDIO HOMBRE MEDIO CONEJO, PERO ÉSTA ES LA IDEA QUE INSPIRÓ A TOLKIEN PARA CREAR SU OBRA MAESTRA DENTRO DE LA LITERATURA FANTÁSTICA.

EXPERTO EN ARTES MARCIALES

La gente que practica artes marciales suele tener el cuerpo tonificado y delgado. Este tipo de personajes normalmente tiene el pelo corto o lo lleva cubierto. Puede transportar sus pertenencias en una mochila que lleve a la espalda. Este personaje posee una sonrisa descarada que sugiere que es una especie de "diamante en bruto".

CHICO HÉROE

La cabeza es un poco más grande en proporción que la de un hombre adulto. Si tiene ojos grandes y claros y la piel suave sugerirá pureza moral.

DERVICHE

No hace falta que un héroe sea musculoso para que sea fuerte. Este personaje es viejo, pero ágil y está lleno de energía. Lleva ropas de agricultor, pero en su expresión se percibe sabiduría y astucia, aunque a esta impresión no ayuda mucho que lleve zapatos de claqué.

TROTAMÚNDOS DEL HIELO

Se puede definir a un personaje usando un esquema de color chocante. Éste está cubierto de pies a cabeza con bandas de tela y lleva sus pertenencias entre las capas. En este caso, la figura tiene un arma con forma de palo de *hockey*, que representa una referencia moderna

MERCENARIO

Los mercenarios y los piratas suelen ser mayores, más duros y menos compasivos que los personajes anteriores. Éste es muy fuerte, pero está delgado por la vida dura que lleva.

LOBO DEL DESIERTO

Los héroes y soldados de climas cálidos llevan turbantes y bufandas para protegerse de la arena y del sol. También llevan ropas de colores claros o apagados.

FORMAS CORPORALES

Las formas corporales normales, como los prototipos de bajo y gordo o alto y delgado, se pueden emplear como base para los héroes de fantasía.

VIKINGO

El prototipo del vikingo tiene una constitución más fuerte que la del héroe típico. El pecho es muy grande y su postura, sólida. Este prototipo también se puede emplear para dioses del trueno, gigantes, bárbaros y guitarristas de *rock*. Lleva capucha, túnica, muñequeras gruesas y botas suaves. Puede tener el pelo largo, pendientes y tatuajes, y es más que probable que lleve una espada o un hacha.

MEDIANO

Los medianos son personas rústicas, bajitas y fornidas que viven cerca de la naturaleza. Comparados con los enanos, no tienen tanta masa muscular y llevan menos armadura. Sus ropas son simples y están hechas de materiales toscos.

ENANO

Los enanos son seres robustos con musculatura bien desarrollada. En este ejemplo parece muy pesado, y tiene los pies bien plantados en el suelo. Los enanos llevan una armadura pesada y largas barbas. En la ropa pueden llevar elementos ornamentales que reflejen su habilidad como artesanos

FRAILE GORDO

Esta figura también se puede emplear para mercaderes adinerados o reyes. Se estructura a partir del vientre gigante, y da la impresión de que la cabeza y los miembros desaparecen detrás de la forma de globo dominante. Además, las ropas enfatizan este efecto. El nudo de la pretina es demasiado grande y los pliegues se desparraman en todas direcciones. Esta figura tiene cierto toque oriental, como de luchador de sumo, que además se ve respaldado por el uso de sandalias.

ELFO

Comparado con el cuerpo del vikingo, es mucho más delgado. Las extremidades y las manos son delicadas y el cuerpo en conjunto da sensación de ligereza. Los elfos tienen rasgos refinados, orejas picudas y llevan ropas delicadas. Este elfo es de estilo tolkieniano, pero los elfos tradicionales son pequeños y tienen aspecto de duendecillos.

HÉROES acción

LOS PERSONAJES DE FANTASÍA SE ENFRENTAN A SITUACIONES DE ACCIÓN EN SUS AJETREADAS VIDAS Y DEBEN REACCIONAR CONSTANTEMENTE ANTE ELLAS. POCAS VECES PERMANECEN TRANQUILOS, ASÍ QUE TENDRÁS QUE DOMINAR UN ABANICO AMPLIO DE POSES DINÁMICAS Y EXCITANTES.

Para dibujar un personaje en acción, debes empezar por la "línea central", que te proporciona la curva de la postura y expresa la fuerza del cuerpo en un momento particular de la acción. Dibuja una línea que recorra todo el cuerpo, de la cabeza a los pies, y después una figura de palos a partir de ella antes de añadir los músculos. La línea central te ayudará a conseguir energía, ritmo y consistencia en la postura de tus personajes. Recuerda que debes tener en cuenta la personalidad de los mismos para decidir cómo se van a mover. Cada héroe tiene su forma personal de blandir la espada o de partir el cráneo de un orco en dos.

LÍNEA CENTRAL

1 Aunque la posición de las extremidades y la espada está alejada de la línea central, la postura posee un ritmo general que se muestra en la forma del cuerpo.

2 La línea central es casi la misma, pero la posición del cuerpo está invertida. La sensación de tensión dinámica aumenta al congelar la pose un segundo antes de atacar con la espada.

3 La figura está agachada y lista para saltar. La línea del centro indica la dirección en que lo hará.

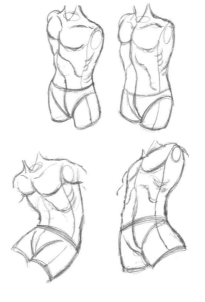

GIROS

1 Pocas veces se ve el cuerpo en perspectiva plana. Siempre está girando o haciendo algún movimiento, incluso en una acción tan sutil como andar. Se necesita toda una vida para aprender a dibujar el cuerpo en todas las posturas posibles, pero se puede practicar reduciendo el cuerpo a formas geométricas simples. Imagínate que la cintura y el torso son dos bloques separados e intenta orientarlos en direcciones diferentes. Te resultará útil dibujar en perspectiva, pero no necesitas utilizar líneas perfectas en esta fase.

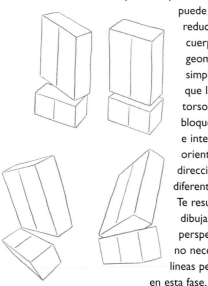

2 Dibuja el contorno del cuerpo sobre las formas geométricas. Puedes desarrollar esta técnica para el escorzo y para las exageraciones.

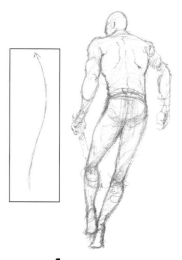

4 Este personaje corre lentamente. Se percibe que está trotando en la parte superior de la columna, donde la línea central se curva.

Para esta ilustración me inspiré en una imagen clásica del Capitán América del dibujante Jim Steranko. El héroe está en una pose rígida y simétrica, y levanta a uno de sus enemigos por encima de la cabeza. El contraste lo crean los cuerpos de sus enemigos, que giran y se agitan a su alrededor. "*¡No podéis destruir un sueño!*", *Finlay Cowan*

EXAGERACIÓN

Prácticamente todos los aspectos del género fantástico se basan en la exageración. Todo lo que vemos es más grande, más rápido, más salvaje y más raro que cualquier cosa anterior. Esta regla se filtra hasta las posturas. En esos dos ejemplos se ve cómo conseguir más impacto al exagerar la pose de un cuerpo.

UN CONSEJO ESPECIAL

■ *Separa los objetos en formas simples. Así visualizarás mejor el cuerpo en perspectiva y la forma de ocupar el espacio.*

■ *Si te cuesta dibujar en bloques, emplea módulos de madera o cubos de juguete para comprender mejor los giros del cuerpo.*

Esta pintura en acuarela representa una escena típica de *El El señor de los anillos*. La amenaza de los atacantes del hobbit se resalta por el gran tamaño de estos personajes en el primer plano, comparado con el de su presa, que se apoya con la espalda en la columna. "*Por el único*", *Alexander Petkov*

HÉROES escorzo

CUANDO DECIMOS QUE ALGO ESTÁ DIBUJADO EN ESCORZO ES PORQUE UN DETALLE DE LA ILUSTRACIÓN ESTÁ MÁS CERCANO AL PUNTO DE VISTA DEL OBSERVADOR QUE EL RESTO DE LA IMAGEN. MEDIANTE SU USO SE DOTA DE PROFUNDIDAD A LOS PERSONAJES Y SE ENFATIZA LA ACCIÓN. SI NO LO EMPLEAS, TUS DIBUJOS RESULTARÁN PLANOS E INSIGNIFICANTES.

1 Dibuja una caja con líneas de perspectiva como punto de partida para dibujar el cuerpo en picado (ver página 81).

4 Esta figura cae al vacío después de luchar contra un dragón volador. Fíjate en cómo se ha empleado la técnica de los bloques para componer los giros corporales.

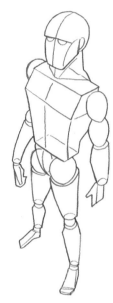

2 Separa el cuerpo en bloques de forma que el cuerpo sea más pequeño cuanto más lejos del espectador esté.

3 Añade las curvas y detalles musculares. No te preocupes si te equivocas. En este ejemplo, la cabeza es demasiado grande y habría que reducirla.

5 Después de detallar más el dibujo, añade líneas cinéticas para resaltar la perspectiva.

UN CONSEJO ESPECIAL

■ *Calca o copia a partir de fotografías para que te sientas más seguro en el momento de reproducir posturas difíciles. Procura dibujar de forma suelta y fluida. Es mejor hacer muchos trazos y elegir al final el que más te cuadre.*

■ *No borres demasiado rápido si no queda bien. Sigue hasta que el dibujo sea un desastre absoluto. Sólo es cuestión de práctica.*

■ *Sigue tu instinto. A veces un dibujo puede quedar bien sin que la perspectiva sea perfecta.*

La figura recostada está en escorzo, y se nota que el torso está girado. Los barriles del fondo y el primer plano realzan la profundidad del entorno. *"Viaje al vacío", Martin McKenna*

ÁNGULOS

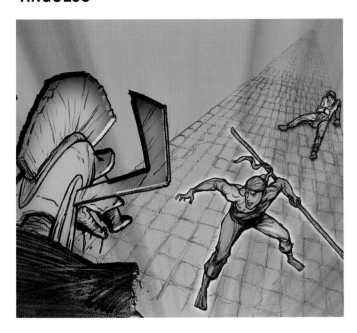

PICADO

Fíjate en que la postura y la composición de los personajes afectan el impacto de la imagen. El picado destaca el tamaño del lagarto gigante, y su proximidad al espectador aumenta este efecto. En comparación, esta perspectiva extrema hace que el héroe parezca pequeño y resalta que se prepara para saltar. La figura que está en el suelo con las piernas abiertas concluye el ritmo general de la composición.

PLANO GENERAL

Este plano general sitúa a varios personajes en acción. Muestra un suceso que está a punto de ocurrir más que una acción física que esté sucediendo. El héroe aparece en el centro de la acción, y la arquitectura imponente se extiende por encima y debajo de él, hecho que resalta el peligro en que se encuentra. Detrás de él están sus compañeros, a los que ha dicho que se marchen mientras él se enfrenta a las hordas del Infierno. Su presencia representa una barrera entre sus amigos y sus enemigos, y la arquitectura está dispuesta para seguir la línea central de la imagen. Un personaje adicional, como es el villano, se percibe en un puente distante que enfatiza la dimensión de las torres.

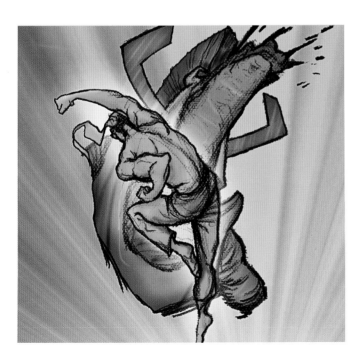

CONTRAPICADO

La visión del espectador está situada en un punto bajo que enfatiza el impulso ascendente del héroe al derrotar a su enemigo. Las líneas centrales de los personajes giran en direcciones opuestas para aumentar la tensión del conjunto de la imagen.

A LA ALTURA DE LOS OJOS

Las líneas centrales del héroe y la heroína parten de la cubierta del barco y crean una conexión obvia entre ellos. Los dos se inclinan hacia atrás para no perder el equilibrio a pesar del empuje de la superficie. Las líneas del barco se dirigen hacia delante, hecho enfatizado por el revoltijo de cosas que vuela en el aire. También cabe destacar el remolino, situado en un ángulo exagerado que da la impresión de que los personajes se precipitan sin remedio hacia él.

batalla aérea

ESTA SECUENCIA DE BATALLA AÉREA SE DISEÑÓ PARA UNA PELÍCULA ANIMADA TITULADA *LOS LADRONES DE SUEÑOS*. EL DIBUJO PRETENDE SER UNA MUESTRA DEL FINAL DE LA HISTORIA, EN EL QUE UN GRUPO DE PERSONAJES SE ENFRENTA A UN EJÉRCITO DE REPTILES Y EL HÉROE SE VUELVE A REUNIR CON SU MADRE, A LA QUE HABÍA PERDIDO HACÍA TIEMPO.

En la obra se ven ejemplos de diferentes poses de acción. Como los personajes están en el aire, me propuse dibujar a los héroes y villanos desde muchos puntos de vista con perspectivas extremas. Dibujé a cada uno en una hoja separada y después los escaneé. Más tarde los junté todos con *Photoshop* (ver páginas 112 y 113).

MADRE

La madre extiende la mano hacia el héroe. Adopta una pose elegante y amable, parece casi una postura de yoga, y la sostiene un libro mágico volador.

GUERRERO

El guerrero lucha contra un reptil en pose victoriosa. El contrapicado hace que parezca más grande que su enemigo y la cabeza inclinada sugiere que está muy concentrado. El reptil cae derrotado hacia atrás.

TORRES DE LIBROS

Las torres de libros flotantes están dibujadas de forma que cruzan la línea del horizonte, por lo que para ver los libros del fondo el espectador tiene que mirar hacia abajo y para los superiores, hacia arriba. Por este motivo, había que colocar las torres con cuidado en el dibujo final, pues la posición de los personajes debía estar relacionada con ellas para que la imagen tuviera sentido.

HEROÍNA

La heroína está aplastando a un reptil. Tiene una apariencia majestuosa y elegante, y su postura es armoniosa y fuerte. Las arrugas de la ropa son fluidas y coinciden con las líneas corporales. Por el contrario, el reptil parece encogido de miedo y desesperado.

VILLANO

El villano, en este caso un mago malvado, ha quedado desarmado gracias a varios libros voladores. Tiene expresión de impotencia.

HÉROE

El héroe se acerca a su madre. Tiene una pose majestuosa y serena, propia de un vencedor. Al tener los brazos extendidos en una postura simétrica da la impresión de que controla sus movimientos.

HÉROE ANCIANO

Un héroe anciano se enfrenta a dos monstruos malvados. La pose simétrica se equilibra con los dos reptiles situados a cada lado. Su conducta sugiere que no quieren atacar, mientras que la pose del héroe demuestra dominio y confianza.

PATINADOR AÉREO

Este personaje está dibujado con un escorzo exagerado porque se le ve desde debajo. Como contrapunto, el reptil se inclina en la dirección opuesta para crear tensión dinámica.

PATINADORA AÉREA

Esta heroína se ve desde arriba y está sujeta a una perspectiva exagerada. El reptil se enfrenta a ella boca arriba y con una postura muy forzada. La lanza sirve de línea de composición entre los dos personajes y es el único elemento que no sufre distorsión alguna. La imagen se captura una milésima de segundo después del impacto, lo que resalta el movimiento de los cuerpos que se enfrentan y luego se separan.

FONDO

El fondo simplemente está esbozado, por lo que no interfiere en la disposición compleja de los personajes. Se ha repetido varias veces para que sea bastante larga. El diseño del fondo se realizó de forma separada.

ADLÁTERE DEL VILLANO

El adlátere del villano, que es una urraca ladrona, se enfrenta a otro libro volador. Da la impresión de que está alarmada.

TUCÁN AMIGO

El tucán desciende en picado para enfrentarse a la urraca malvada.

HÉROE OBESO

Parece que el héroe obeso corre hacia la hoja de la lanza, y el reptil no se mueve en absoluto. Este momento se ve aligerado por la actitud del héroe, que añade un toque cómico. Fíjate en el contraste entre los dos cuerpos. El héroe es redondo y bajito, mientras que el reptil tiene una forma sinuosa elegante y alargada.

HEROÍNAS rostros

DIBUJAR ROSTROS ES RELATIVAMENTE FÁCIL, PUES SIEMPRE ESTÁN FORMADOS POR LOS MISMOS ELEMENTOS. APARTE DE UN OJO EXTRA OCASIONAL O UN PAR DE COLMILLOS, LA PERSONALIDAD DE LA HEROÍNA SE DEJA VER EN EL PELO Y LOS ADORNOS QUE LLEVE, PERO PARA LAS DIFERENTES EXPRESIONES SE EMPLEAN LAS MISMAS TÉCNICAS QUE PARA LOS HÉROES.

VISTA FRONTAL

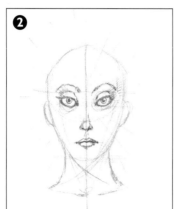

1 Dibuja una cruz dentro de un óvalo para formar el cráneo. Sitúa los ojos debajo de la cruz. Fíjate en que las líneas de la mandíbula se cruzan y la barbilla se forma al dibujar una curva antes de que se junten.

2 Añade la boca, la nariz y los ojos. El truco para dibujar bien los ojos es situar primero las cuencas y después las pupilas. Aléjate del dibujo para comprobar que las pupilas cuadren la una con la otra. Después puedes "cerrar" los párpados sobre el globo ocular para que resulten más reales.

3 Incluye líneas que partan del puente de la nariz, eso te ayudará a dar profundidad a los rasgos y definir los adornos. Sigue mejorando los ojos, añade pestañas y alarga gradualmente los párpados. Cuanto más los repases, mejor quedarán. Empieza a borrar algunas de las líneas de construcción hechas con lápiz, pero no demasiado, porque estas líneas siempre vienen bien.

TRES CUARTOS

1 Ésta es la posición más común para dibujar una cara. Construye la forma básica situando una máscara sobre una esfera. Dibuja la línea central, que señalará la dirección en la que apunta la cara. Añade siempre la línea de la boca antes que la de la nariz.

4 Dale toda la profundidad posible a los adornos. Dibuja primero las formas básicas y añade después algunos detalles en varios retoques. Perfecciona los adornos borrándolos poco a poco y redibujándolos. Sigue reforzando los contornos.

5 Añade sombras debajo de las joyas y la mandíbula. Sigue borrando con la goma. Si no te convence, prueba un peinado diferente. Yo mismo decidí cambiar el motivo de la pluma del tocado a los pendientes y cambiar el collar luego.

UΠ COΠSEJO ESPECIAL

■ *Piensa en la personalidad de la heroína que quieres dibujar y haz un par de bocetos de prueba. Hazlos lo mejor posible, y después dibuja el definitivo.*

■ *No te desanimes por los errores. La perspectiva frontal de este dibujo la conseguí al tercer intento. Sólo es parte del proceso de conocer a tu personaje para poder dibujarlo bien en situaciones diferentes.*

Esta heroína irradia elegancia, pero los tentáculos y los artilugios que lleva sugieren una parte más oscura de su personalidad.
"Desenmascarada", R.K. Post

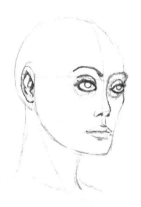

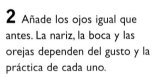

2 Añade los ojos igual que antes. La nariz, la boca y las orejas dependen del gusto y la práctica de cada uno.

3 Dibuja el pelo en bloques. Así conseguirás darle cuerpo y forma cuando lo detalles. Sigue refinando los ojos y las cejas.

4 Ensombrece las líneas del pelo cuando añadas el resto de los mechones. Para variar un poco, he dibujado unas trenzas. Utiliza una goma fina para crear luz en el pelo. Repite este proceso para crear tonalidades y profundidad. La cara está extremadamente borrada, de acuerdo con la personalidad de la heroína, y se ha añadido sombra por la línea del pelo. Para conseguir más fuerza, se ha reforzado el contorno de toda la cabeza. Algunos detalles de la ropa dan presencia al personaje.

NACIONALIDADES

EUROPEA
La nariz es larga y recta y la mandíbula grande y rectangular.

INDIA
La cara tiene una nariz fuerte, la frente arqueada y el labio superior arqueado y cercano a la nariz.

AFRICANA
Tiene los labios gruesos, la nariz plana y la frente amplia.

JAPONESA
Es un rostro amplio con los párpados superior e inferior grandes. La nariz es larga y recta.

HEROÍNAS cuerpos

LA DIFERENCIA MÁS NOTABLE RESPECTO AL CUERPO MASCULINO, APARTE DE LOS ELEMENTOS OBVIOS, ES QUE LA CINTURA FEMENINA ES MÁS ESTRECHA Y LA CADERA MÁS ANCHA, POR LO QUE EL ESTÓMAGO TIENE MAYOR SUPERFICIE. POSEE LOS MISMOS MÚSCULOS QUE UN VARÓN, PERO EL CUERPO FEMENINO TIENE MÁS CURVAS Y HAY QUE TRATARLO DE FORMA MÁS FLUIDA.

PROPORCIONES

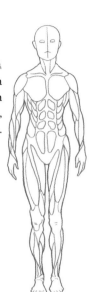

MUJER MEDIA

Se dibuja con una proporción aproximada de 7 u 8 cabezas de altura, como el adulto humano.

PRINCESA GUERRERA MEDIA

Las figuras femeninas sufren las mismas exageraciones que las masculinas. Son más altas que las habituales, por lo que la cabeza es más pequeña proporcionalmente en comparación con la altura del cuerpo, que también está muy estilizado. Las mujeres que aparecen en manga, por ejemplo, tienen la cintura extremadamente estrecha y ojos gigantes.

ESTRUCTURA

1 El torso se puede construir con un triángulo invertido que parte del final de la columna. Fíjate en que la línea de la cadera comienza en la rodilla y realiza una curva hasta el final de la caja torácica.

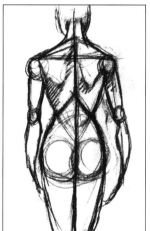

2 Una buena técnica para dar forma a las caderas es poner dos círculos justo encima del triángulo invertido. Te ayudarán a dar forma a las nalgas y las piernas.

UN CONSEJO ESPECIAL

■ Fíjate en esta imagen de Pink Floyd e intenta dibujar a estos personajes en la misma pose, pero con actitudes diferentes.

■ Fíjate en los cambios de la columna y los músculos de la espalda, y calcula cómo podría afectar a la personalidad.

En esta imagen, creada para el grupo Pink Floyd, se ven seis cuerpos diferentes que tienen la misma postura básica, pero con diferencias sutiles en la forma de la columna y los hombros. "Black Catalog", Storm Thorgerson, Finlay Cowan y Tony May

Esta figura cuadra bien con su entorno. La tensión del brazo izquierdo y el giro del cuerpo demuestran un conocimiento profundo de la anatomía humana. Fíjate en la sombra del ala que hay detrás de ella, que plantea una pregunta sobre la naturaleza del personaje. *"Magdiel", R.K. Post*

GIROS Y ESCORZO

LÍNEAS DE SUPERFICIE

El escorzo de esta figura se ha conseguido gracias al empleo de la técnica de líneas de superficie, que consiste en dibujar la figura mediante aros horizontales y verticales que rodean el cuerpo.

BLOQUES

Otro método para realizar los giros y el escorzo es descomponer la figura en bloques simples. Fíjate en la perspectiva de los muslos y el arco que describe el torso en relación con las caderas. Este método puede resultar difícil de emplear.

LÍNEAS ESPIRALES

Sitúa primero una línea central y después crea una figura de palos. Desarrolla más tarde la forma del cuerpo dibujando líneas espirales alrededor de la figura de palos de manera parecida a la técnica de líneas de superficie. Dará la impresión de que se puede ver a través del cuerpo y te ayudará a definir la forma.

EQUILIBRIO

1 Dibuja la línea central y a partir de ella realiza una figura de palos. Define más la forma, empezando por la cadera. Así podrás remarcar cómo se equilibra el cuerpo. En esta imagen, el torso y las piernas están arqueadas respecto de las caderas y crean cierta sensación de elegancia.

2 En esta imagen, una cadera está más alta que la otra. Esto afecta al conjunto de la imagen, pues el torso compensa el peso y da la sensación de que se deposita en una pierna.

3 En este caso, el equilibro de la figura es simétrico. Se dibujó partiendo de las caderas y después se siguió con las extremidades.

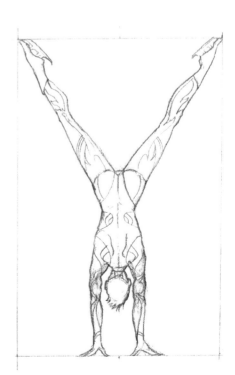

HEROÍNAS vestimenta y pelo

LOS PERSONAJES SE DEFINEN EN PARTE POR SU APARIENCIA FÍSICA Y LA VESTIMENTA. EL EJEMPLO DE ESTA MUSA DEMUESTRA CÓMO PUEDE CAMBIAR UN PERSONAJE MEDIANTE ALTERACIONES PEQUEÑAS DE LA ROPA Y EL PELO DURANTE EL PROCESO DE DESARROLLO.

HEROÍNAS

MUSA

1 Una musa es una deidad femenina que lleva la inspiración a los artistas, poetas y aventureros. Este boceto, inspirado en la obra de artistas como Frederic Leighton y Gustav Klimt, muestra a la musa como una mujer joven en un estilo prerrafaelita o modernista.

2 Con este pelo suelto y los adornos de flores y hojas, el dibujo se basa sin duda en el modelo de la Reina de Mayo, un espíritu de los bosques.

3 En esta segunda versión, la figura parece más bien un ángel de la tradición cristiana, y el conjunto de la imagen tiene cierta apariencia gótica. El tocado es más parco y el vestido tiene mangas largas que resaltan su postura de superioridad.

4 La versión final vuelve a la idea de una musa joven. Las mangas y el cuello del vestido son muy simples y le dan cierto aire contemplativo. El pelo le cae suelto por la espalda.

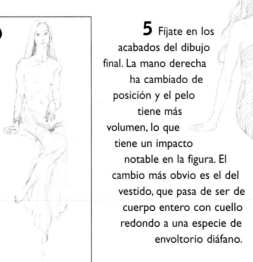

5 Fíjate en los acabados del dibujo final. La mano derecha ha cambiado de posición y el pelo tiene más volumen, lo que tiene un impacto notable en la figura. El cambio más obvio es el del vestido, que pasa de ser de cuerpo entero con cuello redondo a una especie de envoltorio diáfano.

TELAS

1 Dibuja un par de líneas entretejidas y después añade algunas más para dar cuerpo a la forma básica. Después añade sombra a alguna de las líneas para que parezcan pliegues y arrugas.

2 Prueba con líneas diferentes para conseguir nuevos efectos de tela y pelo. En estos ejemplos, unas pocas líneas irregulares superpuestas forman la estructura básica para conseguir una imagen diferente.

PELO

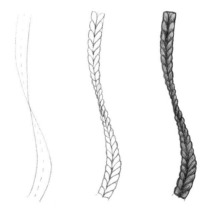

Las trenzas son un elemento esencial en el diseño de peinados de fantasía. Ninguna princesa que se precie de serlo saldría del castillo sin ellas. La forma más simple se puede formar con dos líneas paralelas que se cruzan. Después añade algunas líneas diagonales, repasa contornos y sombra en el centro.

PEINADOS

Estos ejemplos de peinados demuestran cuánto puede cambiar la personalidad de la heroína dependiendo del pelo que tenga (o no tenga).

CALVA

PELO CORTO

PELO LARGO

RASTAS

ÓPERA ESPACIAL

UN CONSEJO ESPECIAL

■ *Es más fácil diseñar personajes cuando ya sabes cómo son. Elige un personaje femenino mítico y descubre todo lo que puedas sobre ella. Prueba con Morgana, de las leyendas artúricas, por ejemplo.*

■ *Haz una hoja de desarrollo con diferentes ropas y peinados para tu personaje. Compara las apariencias diferentes que puedes crear con alteraciones pequeñas y escoge la que mejor concuerda con tu personaje.*

Esta figura fetichista entona perfectamente con su entorno y el traje que lleva. El tocado asimétrico enciende la imaginación al presentarnos algo inesperado. *"Indigestión"*, R.K. Post

HEROÍNAS adornos

LOS ORNAMENTOS Y LA JOYERÍA COMPLICADOS TE PUEDEN PARECER DIFÍCILES DE DIBUJAR AL PRINCIPIO, PERO SÓLO NECESITAS EMPEZAR DESDE ELEMENTOS BÁSICOS Y COLOCAR LOS DETALLES AL FINAL.

JOYERÍA

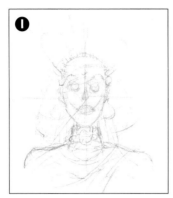

1 Dibuja las formas básicas con una línea central clara. Mantén las líneas de perspectiva en el dibujo hasta el último momento, pues te sirven como guía para los detalles.

2 Dibuja las líneas de los párpados, la boca y la nariz para darles forma (ya las borrarás después). Sigue refinando los rasgos con lápiz y borrador. Yo mismo decidí quitar la tela para que el dibujo resultará más simétrico. Si algo no funciona, no temas cambiarlo o retocarlo después.

3 Añade más detalles a las joyas. En este momento deberían ser formas simples y planas. Utilicé las líneas de los hombros para crear tracerías de joyas en el pecho. Aún no había decidido muchos de los detalles y exploraba el trabajo a lápiz para ver qué formas presentaba.

La gama de azules de esta imagen se ve mejorada gracias al contraste con las joyas que lleva en el cuerpo y la cabeza, pintadas en un color diferente. *"Sirena azul", Tania Henderson*

4 Dibuja la línea del pelo y refuerza el contorno de la cara. Empieza a añadir joyas en los huecos que queden entre los elementos principales. Aún quedan muchas líneas alrededor de los rasgos que añaden color.

5 Empieza a reforzar las líneas que te sirvan. Para esto, tendrás que retocar algunas y borrar otras. Repasa los contornos de cada joya para destacarlas. Sombrea y añade detalles a cada una de ellas. Sigue con este proceso hasta que consideres que la imagen tiene fuerza.

- *Mira las fotografías de joyería y adornos históricos y tribales de todo el mundo para inspirarte. Al igual que muchas otras cosas en el arte fantástico, puedes extraer referentes del mundo real y exagerarlas.*
- *Copia las imágenes que te gusten y conviértelas en tres personajes de fantasía muy diferentes entre sí. Verás cómo, en algunos casos, los adornos definen el carácter.*

Esta pintura en acrílico, de inspiración prerrafaelita, emplea de forma sensata los detalles de la ropa, que se repiten en los tatuajes de la cara y el brazo. Las flores del pelo sirven como un adorno adicional. *"Nouveau"*, Theresa Brandon

OTROS ADORNOS

TATUAJES

Además de las joyas elaboradas que lleva, esta heroína tiene tatuajes en la cara. El peinado elegante enfatiza su postura regia.

6 Añade sombras exteriores a las joyas con una línea gruesa en la parte inferior de cada una. Borra las últimas líneas de perspectiva.

7 Repasa el contorno general y los elementos que consideres importantes con una línea gruesa, así la imagen tendrá más fuerza. Por último, utiliza un borrador fino en los labios, nariz y joyas para crear brillos. Con estos pequeños toques dotarás de vida a la imagen.

FLORES

Un personaje puede adquirir una identidad fuerte y memorable si se le añade un elemento adecuado, como esta heroína asiática con una flor de loto amarilla en el pelo.

HEROÍNAS prototipos

TODAS LAS CULTURAS DE LA TIERRA TIENEN UN PANTEÓN DIVERSO DE FIGURAS MÍTICAS A PARTIR DE LAS QUE SE INSPIRAN. DESDE LAS HADAS EUROPEAS HASTA LAS DIOSAS DE LA DESTRUCCIÓN COMO LA KALI HINDÚ, LAS TRADICIONES MÍTICAS NOS HAN PROPORCIONADO GRAN CANTIDAD DE PAPELES FEMENINOS QUE SE EMPLEAN EN EL GÉNERO FANTÁSTICO.

DIOSA DE LA TIERRA

1 Ida, una cantante sueca, sirvió de modelo (tanto en cuestión de físico como de personalidad) para este personaje. Sus rasgos fuertes y largas extremidades dan la idea de alguien que tiene un poder elemental tremendo, como una sacerdotisa de la Diosa de la Tierra, en oposición a algo menos fuerte, como un hada o una ninfa de los bosques. Realicé este boceto calcando los rasgos de una fotografía que la misma Ida me dio, en la que salía en una postura meditativa.

3 El dibujo final lo realicé calcando la figura en una caja de luz. Después añadí los detalles al vestido. La elección obvia era crear un vestido sencillo y elegante de princesa. El fondo lo realicé por separado con *Paint* (ver páginas 114 y 115).

2 Aquí, la posición de las piernas ha pasado de una postura de yoga a estar de rodillas. Al pensar en el personaje, decidí enmarcarla entre dos árboles y con una gran Luna detrás, que consigue dar cierto aire modernista a la imagen.

UN CONSEJO ESPECIAL

■ *Infórmate sobre las mitologías en libros, en Internet y en los museos. En las mitologías europeas encontrarás hadas, brujas y banshees, por ejemplo. La egipcia, romana y griega están llenas de sirenas, sacerdotisas, diosas y hadas. En las mitologías norteamericanas, perdominan la Madre Tierra y los espíritus de la fertilidad. Emplea estas referencias para crear a tu propio personaje.*
■ *Fíjate en la gente que conozcas y evalúa las similitudes que puedan tener en su apariencia y personalidad con personajes míticos. Elige uno y utiliza una fotografía suya para diseñar a tu personaje.*

Esta hada posee los rasgos finos típicos de su especie, pero también tiene una mandíbula fuerte y ojos inquisitivos que revelan una fuerza interior.
"El aliento de la vidente brillante", Anne Sudworth

Esta princesa controla las arenas del desierto y crea tormentas a voluntad. Sus ropas reflejan su poder y tiene el color y la forma de las dunas ondulantes. *"La princesa Zobabah"*, Finlay Cowan

HADA

El cuerpo de las hadas es ágil. Todas sus características son ligeras, incluida la ropa. Su forma corporal es pequeña y elegante, como la de una bailarina de *ballet*.

MUJERES FATALES

SÚCUBO

Esta seductora demoníaca, que desciende sobre los hombres para tener relaciones sexuales con ellos, aparece aquí relajada en su guarida. Yace sobre una cama en una postura que resalta las caderas redondeadas. Llama la atención el aguijón de la cola, que acentúa sus intenciones lujuriosas.

REINA AMAZONA

Las reinas siempre tienen un porte regio, que se sugiere por la simetría de la pose. Además, lleva ropas muy elaboradas. Normalmente las amazonas son muy grandes.

PRINCESA GUERRERA

Las princesas guerreras son de complexión fuerte y apariencia ruda, y las ropas corresponden con esta imagen. Fíjate en cómo contrasta con el hada. ¿Qué apariencia tendría una tribu de hadas guerreras?

PRINCESA ÁRABE

Esta heroína es fuerte y tiene seguridad en sí misma, y su apariencia irradia sabiduría. Es una reina de la narración, como Scherezade en *Las mil y una noches*.

GENIO

En esta imagen, surge de un manuscrito antiguo. Se creía que estos personajes de la mitología oriental eran espíritus fantasmales que seducían a hombres y mujeres. Por esta razón, tiene una apariencia sensual, pero sus intenciones malvadas se sugieren mediante el ojo inclinado hacia abajo y las uñas largas y curvadas.

HEROÍNAS posturas dinámicas

APARTE DE DIBUJAR A PARTIR DE ELEMENTOS DE LA VIDA, TAMBIÉN ES MUY ÚTIL PARTIR DE ESCULTURAS, PUES NO SE PONEN NERVIOSAS, TIENEN CONSTITUCIONES FÍSICAS MODÉLICAS Y A MENUDO REPRESENTAN ESCENAS MÍTICAS. ADEMÁS, SUELEN ESTAR DESNUDAS NO COMO LA GENTE REAL.

Las esculturas cubren todos los aspectos técnicos fundamentales de la ilustración fantástica. Las figuras giran y se retuercen. Además, su tamaño gigantesco facilita el aprendizaje del escorzo, y siempre están bien iluminadas, lo que acentúa las sombras y formas musculares.

BAILARINA

1 Estos dibujos de bailarinas están inspirados en los grabados de los templos indios y son un buen ejemplo de retorcimientos extremados y de gestos expresivos de las manos y la cabeza que resaltan la personalidad y los movimientos. Empieza dibujando una figura de palos.

2 Comprueba cómo la forma original del boceto ha determinado la caída de la ropa. Un fondo de papel envejecido le confiere apariencia antigua.

3 La pose es casi la misma, pero esta vez está dibujada de frente. Cuando empieces a dibujar una figura de palos, a menudo podrás dibujarla desde los dos lados.

La pose fuerte y simétrica del ángel se ve reforzada por los pilares. Las manos situadas en los lumbares dotan de fuerza y estabilidad a la imagen, que contrasta con la fluidez de los pliegues de la ropa y la suavidad de las alas. *"'La guardiana en la puerta", Carol Heyer*

UN CONSEJO ESPECIAL

■ *Las esculturas nos dan la oportunidad de dibujar una figura desde diferentes ángulos. Elige una e intenta dibujarla en tres posiciones diferentes.*

■ *Trata de dibujar alguno de los detalles de la escultura desde diferentes ángulos. Estos modelos son el recurso perfecto para los detalles anatómicos complicados que son tan difíciles de aprender, como hacer que el dedo gordo del pie parezca interesante. ¿Qué más se puede pedir?*

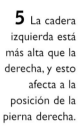

4 La bailarina tiene un porte ligeramente diferente. La cabeza está recta y el movimiento es más simétrico. Las ropas hacen gran parte del trabajo y dan la sensación de movimiento. Fíjate que la pierna derecha está dibujada para sugerir más un movimiento de baile controlado que una carrera.

5 La cadera izquierda está más alta que la derecha, y esto afecta a la posición de la pierna derecha.

6 El cuerpo se gira en dirección opuesta al espectador, por lo que se ve parte de la espalda y el torso.

ESCULTURAS

MUJER CORRIENDO
Se aprende mucho estudiando esculturas que representan escenas cotidianas. Esta estatua de una mujer que corre deja ver el vestido y el pañuelo que flotan detrás de ella.

TRÍO
Este conjunto conmovedor que muestra a una madre y un padre que llevan a su hijo herido tiene una composición impactante y muy estudiada.

MUJER VOLADORA
Son comunes las escenas mitológicas en las que una diosa alza en vuelo a un hombre mortal. El dinamismo de la pose está bien representado y las alas están diseñadas de forma perfecta.

ÁNGEL
Las imágenes clásicas, como la de este ángel, son una buena fuente de inspiración para personajes y detalles, así como para las sombras y las formas.

HEROÍNAS acción

DIBUJAR A UNA MUJER EN ACCIÓN REQUIERE LOS MISMOS PRINCIPIOS QUE
CUALQUIER OTRO PERSONAJE. SE PODRÍA DECIR QUE LAS FIGURAS FEMENINAS EN
MOVIMIENTO TIENEN UNA LÍNEA DE ACCIÓN MÁS SUAVE QUE LAS MASCULINAS,
PERO NO ES UNA REGLA ROTUNDA. SÍ, ES VERDAD QUE AQUÉLLAS SUELEN TENER
MÁS CURVAS, PERO BAJO UNA ARMADURA TODOS PARECEMOS IGUALES.

COMBATE

1 Dibuja algunas líneas de perspectiva y añade la línea central para dar la impresión de que la energía fluye. En este caso, la línea central es una columna vertebral arqueada.

2 Construye una figura de palos que muestre la posición de las extremidades y la forma del torso.

3 Dale forma al cuerpo. En este caso se han empleado líneas espirales.

4 Refina los detalles de la figura. Fíjate en cómo se ha resaltado la curva de la espalda. Además, el pelo está dibujado de forma que cobra tridimensionalidad. Se ha dado un poco más de detalle a las manos, y el brazo derecho está en escorzo.

5 Añade las ropas. Fíjate en que la caída de la tela sigue el efecto espiral del boceto. Así da la impresión de que las ropas rodean al personaje y caen de él. Los cabos finales que caen se han dejado para dar sensación de movimiento.

6 El diseño definitivo se ha coloreado digitalmente y se han añadido brillos y sombras para dar sensación de forma.

UN CONSEJO ESPECIAL

■ *No todas las mujeres del género fantástico están relegadas a los papeles estereotipados de bailarinas y princesas. Busca modelos de mujeres fuertes en mitos y leyendas en los que inspirarte.*

■ *Lee algún texto descriptivo de la mujer que hayas elegido y prepara un guión gráfico para ilustrar la escena.*

■ *Fíjate en las bailarinas, patinadoras y atletas para ver cómo se mueven las figuras femeninas y aplica estas acciones a tu guión gráfico.*

Este ángel guerrero tiene una postura firme que sugiere confianza en sí misma y valentía, a pesar de la tormenta que se cierne sobre ella. ¿Está a merced del rayo o es ella quien lo controla? "Ángel y relámpago", R.K. Post

SECUENCIA DE ACCIÓN

3 De este modo, llegamos sin problemas al siguiente dibujo, en el que cambia el punto de vista para ver que el genio sujeta a la víctima contra el suelo. Esta imagen nos permite ver el gesto malvado del genio y muestra la desmesura de su cuerpo en comparación con la víctima.

1 En esta secuencia se ve a un genio que surge de las páginas de un libro antiguo. Se eleva sobre la figura sentada, que cae atrás del susto. No se le da énfasis alguno al fondo, por lo que nos centramos en la acción de los cuerpos.

2 El genio salta y vemos que la parte inferior del cuerpo apunta hacia arriba, pero el torso se precipita hacia delante con los brazos echados atrás. La víctima ha caído aún más.

4 Volvemos al punto de vista original. El genio le arranca la cabeza de un bocado a la víctima. Esta perspectiva nos ahorra los detalles más escabrosos.

diosa en la biblioteca

ESTA ILUSTRACIÓN, CREADA POR STORM THORGERSON Y POR MÍ MISMO, SE DISEÑÓ PARA LA HISTORIA LA EDUCACIÓN DE LA MUSA, PERO DESPUÉS SE REVISÓ PARA LA PORTADA DEL DISCO *SYMPHONIC* DE LED ZEPPELIN. MÁS TARDE SE VOLVIÓ A REVISAR PARA UN TÍTULO DE ANIMACIÓN LLAMADO *LOS LADRONES DE SUEÑOS*.

LA EDUCACIÓN DE LA MUSA

En su juventud, la musa paseaba por la costa meridional del Mediterráneo en un lugar y tiempo desconocidos para ella. En la distancia vio una montaña envuelta en nubes. Le entró curiosidad y se dirigió a ella. El viaje duró varios días, pues la montaña era mucho más grande de lo que aparentaba. Cuando por fin llegó a la falda, descubrió que no era una montaña, sino una pila gigante de libros. Se miró a los pies, se puso en cuclillas, cogió el primer libro que vio y empezó a leerlo.

Cuando terminó, lo dejó en el suelo con cuidado detrás de ella y cogió el siguiente. Según terminaba de leerlos, los colocaba en la pila que iba creciendo detrás de ella. Quedó absorbida por completo por la lectura. Pasaron varios siglos, pero el tiempo no significaba nada en ese lugar. Siguió leyendo, libro tras libro, y fue construyendo un palacio de libros a su alrededor, con grandes bóvedas, muros con contrafuertes y arcos ornamentales que surgían del fruto de su estudio. Todos estaban formados por los volúmenes gigantescos que devoraba con pasión.

Este dibujo muestra el final de la educación de la diosa. Ha llegado ya a la última página del último libro: el origen de la propia fuente, el punto de partida de todo conocimiento. La página está en blanco, salvo por un único punto en el centro. Es el punto del que surge la primera línea, de la cual brotó la primera letra de la primera palabra, que más tarde creció hasta ser un párrafo y después toda expresión escrita de la humanidad, a través del tiempo y hasta la eternidad. Esto se muestra en la ilustración por la posición del punto, alineado con el único lugar que desaparece en la composición (la fuente física de la imagen), así como con la columna vertebral de la diosa y el hueso sacro, que es el lugar en el que, según la leyenda reside el alma.

1 El estudio original pretendía mostrar la grandiosidad de la biblioteca experimentando con formas diferentes para conseguir que las columnas pareciesen lo más grandes posibles, pero que aun así sugiriesen que estaban formadas por libros. Este dibujo emplea la perspectiva de tres puntos (ver páginas 82 y 83).

2 La diosa con aspecto de vagabunda del primer estudio no parecía adecuada, por lo que probamos con otras figuras femeninas. En este ejemplo se empleó una mujer más fuerte y simétrica.

3 La idea de una diosa fuerte era atrayente y nos llevó a realizar esta imagen de la "diosa blanca" clásica de los mitos celtas y romanos (entre cuyas encarnaciones se encuentran Astarté e Isis). Para el fondo se empleó una perspectiva de un punto, que aumentaba la simetría y el impacto.

4 Cuando elegimos la imagen para la portada del álbum, la rediseñamos para que se adaptase al formato cuadrado y se amplió el arco. Todo el fondo se redibujó con líneas claras y se aumentó la altura de la torre de libros del centro.

5 La figura se dibujó en mayor tamaño en un lienzo aparte para que se pudiese reducir la escala sin perder detalle. Después se fotografió el trabajo digitalmente con una cámara con trípode y después se envió al dibujante encargado de los retoques, Jason Reddy.

6 Jason Reddy, especializado en retoque por computadora, pero que también es un excelente acuarelista realista, terminó las imágenes digitales de las que se produjeron las transparencias a color. Eligió una gama de verdes.

7 Más tarde empecé a pensar que la obra tenía defectos. El primero era que no cuadraba muy bien con el tamaño de un CD, que es algo que debería haber tenido en cuenta, pero la versión en póster quedaba muy bien y a nadie le importó. El segundo fue el color, que siempre había previsto de tonos desérticos, acordes con la localización original de la historia. Al final no me satisfizo la figura, que quedaba muy bien por sí sola, pero no cuadraba con el fondo. Cuando se eligió la imagen para una animación piloto, revisé los colores y añadí una figura nueva.

MAGOS rostros

EN EL MUNDO DE LA TELEVISIÓN Y EL CINE, LOS ANCIANOS CON VOCES SHAKESPEARIANAS SE HAN CONVERTIDO EN UN ELEMENTO MUY APRECIADO. EN UNA ERA OBSESIONADA POR LA JUVENTUD Y LA BELLEZA, LOS VIEJOS VUELVEN A LA CARGA, Y GRACIAS A LOS EFECTOS DIGITALES PUEDEN HACER LO MISMO QUE LOS PERSONAJES JÓVENES, PERO CON ACTUACIONES MEJORES.

EFECTOS DE LA EDAD

DRUIDA

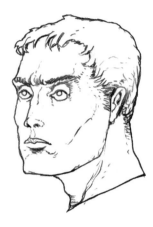

JEDI

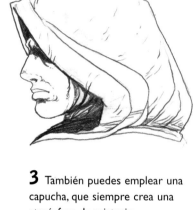

1 Este ejemplo muestra a un jedi joven. Tiene la piel tersa y la mandíbula bien definida.

3 También puedes emplear una capucha, que siempre crea una atmósfera de misterio.

1 Estos dibujos muestran cómo simular los efectos de la edad. Este joven tiene los pómulos y la mandíbula bien definidos y las cejas oscuras.

2 Al envejecer, las cejas se espesan y la nariz y las orejas se agrandan. Tiene patas de gallo y bolsas en los ojos. La carne suele definirse más con la edad, por lo que puedes agregar más líneas para marcar los pómulos. Resulta difícil añadir líneas cerca de la nariz sin que el personaje parezca abatido, pero es cuestión de práctica.

2 Fíjate en el mismo personaje ya anciano. Lo más obvio es que el pelo ha pasado a la barba, pero las cejas están más pobladas. La nariz y las orejas no dejan de crecer, por lo que ahora son más grandes y la nariz tiene una forma más fuerte.

PROTOTIPOS

MAGO CÓMICO

Este mago parece un vagabundo atolondrado. Lleva ropas de habitante del desierto o de nómada y su identidad se caracteriza por esa peculiar barba triple.

MAGO LOCO

Este anciano marchito ha abandonado el mundo terrenal (incluso la ropa) y vive como un asceta que busca la iluminación. Está basado en Hassan al Sabbah, también conocido como el Viejo de la montaña, personaje real que organizó un reinado de terror desde su remoto castillo persa en el siglo XI. Hizo ejecutar a su propio hijo por beber vino, y la palabra asesino proviene del nombre que recibían sus seguidores. Sin embargo, no se sabe si iba de aquí allá desnudo.

HECHICERO MALVADO

Este hechicero es un villano con cierto aspecto ruso que recuerda a Rasputín. Los dedos con forma de garras afiladas resultan amenazadores y por la mirada que tiene se diría que posee poderes hipnóticos.

UN CONSEJO ESPECIAL

■ *Elije a uno de los héroes que seleccionaste para realizar los ejercicios de las páginas 20 a 31. Aplica algunos de los efectos de la edad para crear un mago como Merlín o Mordred, de las leyendas artúricas.*

■ *Ahora intenta inspirarte en un tipo de mago muy diferente, como los médicos de las culturas indoamericanas, los curanderos africanos o los sabios y profetas del Lejano Oriente. Emplea esta información para crear un héroe diferente y después compara las creaciones.*

Izquierda: Este personaje de videojuego resulta impresionante, en parte por el tocado de cuernos y la capa extravagante. "Bruja de la peste", *Martin McKenna*

Derecha: Las miradas fijas sugieren concentración. Los ojos claros del mago le señalan como alguien inteligente, ¿pero será bueno o malo? "Diabólico", *Martin McKenna*

MAGOS barbas

EN EL ARTE FANTÁSTICO, NO HAY MAGO, SABIO, PROFETA O VIDENTE QUE SE PRECIE DE SERLO QUE NO LLEVE BARBA. CUALQUIER PERSONAJE MASCULINO DE MÁS DE CUARENTA AÑOS DEBE LLEVARLA...

... y alguna que otra mujer también. Las barbas son un indicador sólido de poder, sabiduría, perspicacia, astucia diabólica y muchos más atributos propios de personajes fantásticos, pero debe ser la barba adecuada y tiene que resultar convincente. Hay dos formas de asegurarse de que sea así. La primera es darles volumen; es decir, convertirlas en un objeto. La segunda es darles personalidad. Las barbas son una parte de la apariencia y se pueden emplear para expresar símbolos. En la página siguiente probaremos barbas diferentes sobre el mismo rostro e intentaremos definir qué personaje llevaría cada una. Es impresionante la cantidad de transformaciones que se pueden realizar con un poco de vello facial.

1 Dibuja la estructura básica de la cara con una línea central clara.

3 La mandíbula y la boca se añaden ahora, aunque no se verán en el dibujo definitivo. No te olvides de las cejas pobladas.

2 Empieza a añadir los rasgos fundamentales.

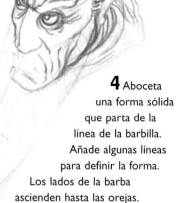

4 Aboceta una forma sólida que parta de la línea de la barbilla. Añade algunas líneas para definir la forma. Los lados de la barba ascienden hasta las orejas.

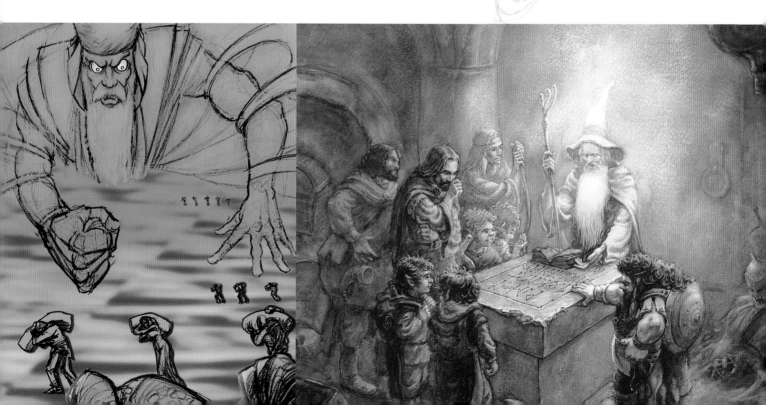

5 Dibuja el bigote como un objeto separado. En este caso, tiene forma de luna creciente que se cierra sobre la barba.

6 Rompe el contorno de la barba con un borrador y añade las puntas del pelo. Sombrea por debajo del bigote y repasa la textura general con una goma fina. Utiliza el lápiz y el borrador para crear una apariencia natural.

TIPOS DE BARBA

EL RIVAL

Es una barba bien definida que sugiere seriedad. Es muy útil para científicos, exploradores y magos de alto rango.

EL DRUIDA

Esta barba, basada en la de los druidas y otros sacerdotes paganos, es fácil de conseguir y revela una imaginación aguda.

EL SULTÁN

Este estilo requiere mucha limpieza y se utiliza para sultanes, que tienen tiempo para cuidarse, y visires megalómanos extremadamente vanidosos.

BARBA DESCUIDADA

En la Antigüedad era popular entre los druidas, pero ahora ha perdido importancia. Actualmente sólo la llevan druidas jóvenes como signo de rebeldía, así como monjes locos, santones errantes y derviches místicos, pues no requiere cuidado en absoluto.

De izquierda a derecha: Tres magos distintos con barbas diferentes. Recta y corta, larga y natural y una barba triple de estilo druídico.

"Mago", Finlay Cowan; "La gran pérdida", Alexander Petkov; "Visír", Finlay Cowan

UN CONSEJO ESPECIAL

■ *La barba no es el punto que se elige automáticamente como centro de una composición, pero puede ser un punto de partida excelente. Elige una barba (u otro rasgo facial) y organiza la composición a partir de ella.*

■ *Piensa en qué tipo de barba quieres utilizar y qué simboliza. ¿El personaje es bueno o malo? ¿Y qué quiere transmitir al espectador?*

MAGOS vestimenta

PROBABLEMENTE, EL PROTOTIPO DE MAGO CLÁSICO ES GANDALF, CUYA APARIENCIA DERIVA DE LOS DRUIDAS CELTAS Y LOS MONJES ERRANTES. AUNQUE LOS MAGOS SUELEN LLEVAR TOGAS Y CAPAS, HAY GRAN CANTIDAD DE ACCESORIOS DE TODO TIPO, DESDE HECHIZOS A TALISMANES, PASANDO POR POCIONES Y ELÍXIRES. LOS MAGOS ESTÁN PREPARADOS PARA CUALQUIER CIRCUNSTANCIA.

BASTÓN CON CALAVERA

Al bastón se le pueden añadir cráneos de animales pequeños con sus dientes. Con el hechizo correcto se resucita a los muertos o el mago obtiene los poderes del animal en cuestión. Los cráneos humanos no se suelen utilizar y se reservan para ogros, caníbales y diablos.

BASTÓN

A ningún mago, místico o vidente le puede faltar un bastón. Su principal uso es como cayado para las aventuras largas, pero también sirve como arma para enfrentarse a los bandidos y parar los pies a los adláteres jóvenes con ganas de pelea. Elegí un bastón de madera sin decoración en este dibujo de Gandalf, para simbolizar su personalidad poderosa y directa.

BASTÓN CON CRISTALES

Estos cristales, robados de la guarida de un ladrón, dotan al mago de habilidades especiales, como el vuelo o la invisibilidad.

BASTÓN SIMBÓLICO

Los bastones tallados con forma de símbolo mágico son muy habituales. Este símbolo puede representar la pertenencia a una orden de magos o lealtad a un determinado semidiós. Con este bastón se invoca el poder del citado semidiós, que normalmente será una fuerza elemental como la lluvia, un rayo o una lluvia de ranas.

UN CONSEJO ESPECIAL

■ *Existe una gran cantidad de libros con signos y símbolos. Busca el que creas que queda mejor con tu mago.*

■ *Dibuja objetos diferentes que pudiera llevar un mago e intenta incorporarles este símbolo de formas distintas.*

En esta imagen del estudio de un hechicero creada digitalmente aparece un tesoro de objetos cabalísticos.
"La cámara del hechicero", Bob Hobbs

ACCESORIOS

Pociones, cuyos efectos van desde despertar a los muertos hasta curar resfriados.

Hechizos en lenguas antiguas, indescifrables para el no iniciado.

Llaves de varios cofres, tesoros y cámaras secretas.

La mano de Fátima, para repeler el mal de ojo.

Ojo de Osiris, utilizado para echar el mal de ojo.

Polvos mágicos de efectos especiales increíbles.

Emblema que identifica a la orden o secta a la que pertenece el mago: el equivalente de una marca en la Tierra Media.

Anillos que aumentan el poder y representan su autoridad. Además, sirven como sello.

Hierbas y especias, que son remedios naturales empleados por los magos.

OBJETOS SIMBÓLICOS

ANILLO DE SERPIENTE

El uroboro, o serpiente que se come la cola, representa el ciclo eterno de la naturaleza. El propio anillo simboliza el camino que recorre el Sol por el cielo.

LIBRO DE HECHIZOS

¿Qué sería de un mago sin un libro gigante? La mayor parte de los libros tienen poderes propios, como hablar, volar o abrir las puertas del Infierno, pero si no funciona, el libro es lo bastante grueso para usarlo como objeto contundente.

HECHIZOS

Los hechizos pueden ser orales o escritos. Éste de aquí se llama *abreq ad habra,* que invoca al "rayo que mata" y es el origen de la palabra abracadabra. También se dice que es una bendición. Es importante que las letras estén escritas en un triángulo invertido.

MANO DE FÁTIMA

Los cuatro dedos más largos representan la generosidad, la hospitalidad, la energía y la bondad divina.

BASTÓN DE HERMES

También se le denomina caduceo. Es un símbolo de paz, protección y curación.

PENTAGRAMA

La estrella de cinco puntas se emplea para atrapar a las fuerzas del mal.

ANILLO CON INSCRIPCIÓN

Desde la prehistoria, los anillos simbolizan la eternidad y la creación de lazos. Hay anillos muy antiguos con conjuros o los signos del Zodíaco.

MAGOS poderes

LOS MAGOS UTILIZAN O BIEN PODERES NATURALES O HECHIZOS CUANDO LUCHAN. AL ESTAR INICIADOS EN LOS SECRETOS DE LA NATURALEZA, PUEDEN INVOCAR VIENTOS, LLUVIA, FUEGO Y TERREMOTOS PARA QUE LES AYUDEN A ENVIAR A BESTIAS INMUNDAS Y VILLANOS A LOS INFIERNOS DE LOS QUE PROCEDEN. PARA REALIZAR LOS HECHIZOS, EJECUTAN MOVIMIENTOS MANUALES REALMENTE COMPLICADOS.

RAYOS

1 Dibuja primero algunas líneas superpuestas, como si dibujases una tela o pelo.

2 Cálcalos en otro papel y dale forma a cada rayo.

3 En este ejemplo se han aplicado algunos detalles digitales simples. Hay un contraste fuerte entre los rayos y el fondo, y además se ha empleado un contorno brillante. Se pueden conseguir los mismos efectos con pintura.

NUBES DE HUMO

1 Empieza dibujando una línea central y de contorno para conseguir la forma y dirección del humo.

2 Añade círculos superpuestos de diversos tamaños.

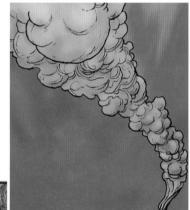

3 Dibuja contornos definidos que muestren la forma del humo, y ten en cuenta la forma en que se superponen las nubes. Aquí se ha añadido una textura simple digitalmente. Las sombras de los bordes de las nubes y un pequeño brillo en la parte superior de cada una resaltan la forma del humo.

Este mago malvado parece que salta de las páginas del libro. Las manos, que parecen garras, dejan bien claro que puede liberar poderes terribles.
"El chivo expiatorio", Finlay Cowan

■ *Crea sombras y efectos de luz trabajando únicamente en blanco y negro. Después colorea con negro zonas amplias y crea brillos con un borrador.*

■ *Más tarde, prueba con pintura, que requiere un proceso similar para crear profundidad con luces y sombras.*

■ *Prueba más tarde con efectos digitales y compara los resultados.*

Los efectos de nubes y de fuego elegantes se han combinado en esta imagen de un cataclismo.

"El renacimiento", Christophe Vacher

REMOLINO DE HUMO

1 Puedes utilizar el humo y las nubes girando para cualquier cosa. Dibuja una espiral y coloca nubes sobre ella.

2 Añade una segunda serie de nubes sobre otro patrón espiral, de forma que se superponga sobre la primera serie.

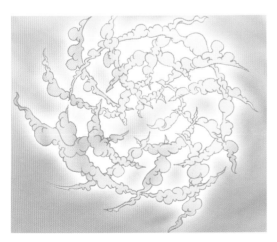

3 Calca una versión del dibujo definitivo y asegúrate de que las nubes se superpongan de forma consistente. Para que quede mejor, puedes colorearla o tratarla digitalmente.

GESTOS DE LA MANO

CUERNOS DE DEMONIO

La postura en la que la mano está cerrada y los dedos el meñique e índice estirados se llama cuernos de demonio. Probablemente representa los cuernos o la luna creciente de la diosa egipcia Isis, y es un signo de protección contra el mal.

CONTRA EL MAL DE OJO

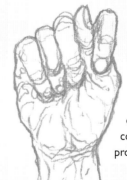

En las tumbas etruscas es común ver una mano cerrada en la que el pulgar está entre el índice y el corazón. Se utiliza como protección contra el mal de ojo.

BUENA SUERTE

Los cananeos, una de las numerosas sectas heréticas del Egipto del siglo segundo, empleaban este gesto. Fíjate en que los dedos deben tener los tatuajes correctos para que funcione.

BESTIAS dragones

UNA LEYENDA CLÁSICA QUE SE ENCUENTRA EN LOS MAPAS ANTIGUOS PARA DESCRIBIR ZONAS INEXPLORADAS HABITADAS POR CRIATURAS DESCONOCIDAS ERA: "AQUÍ HABITAN DRAGONES". DESDE TIEMPOS INMEMORIALES, LA IMAGEN DEL DRAGÓN HA APARECIDO EN TODAS LAS CULTURAS Y LEYENDAS Y SIGUE SIENDO UNO DE LOS PILARES PRINCIPALES DEL GÉNERO FANTÁSTICO.

Sin duda, el origen de los dragones se debe a los avistamientos primitivos de serpientes gigantes, dragones de Komodo y criaturas marinas. En Occidente, los dragones normalmente representan el mal y son un símbolo de avaricia y egoísmo. Se esconden bajo tierra para proteger sus tesoros o a la princesa ocasional. Sin embargo, los dragones chinos representan la sabiduría y son un obsequio del agua. Normalmente se les representa con una perla en la boca, que se supone que es la fuente de su poder. Si se la arrebatan, el dragón puede ser domado.

1 Realiza unos cuantos bocetos para decidir las proporciones generales del dragón. En este ejemplo me he centrado en la estructura básica y en la forma de la espina dorsal, para la cual me inspiré en los esqueletos de dinosaurios.

2 Dibuja la forma básica en tres dimensiones con ayuda de líneas de perspectiva (ver páginas 80 a 83).

3 Ahora empieza el trabajo de verdad, donde debes respaldarte en tus estudios para conseguir un dragón auténtico. En este caso, la forma del cuello y el ángulo de la cabeza se han alterado para aumentar la tensión dinámica. Estas mejoras sólo serán posibles si trabajas sobre una serie de bocetos que te ayuden a conocer la postura.

4 Calca el dibujo en limpio y añade los detalles (podrías trabajar sobre el boceto original, pero tendrías que borrar mucho). Añade las escamas de forma sistemática y consistente, como se explica en la página siguiente. Las escamas de los dragones se inspiran en la piel de los cocodrilos, y en este caso la espalda también se basa en este mismo reptil.

DIBUJAR LAS ESCAMAS

Las escamas, los huesos y los efectos de la piel se crean al sobreponer una serie de capas de diferentes formas. Conseguirás buenos efectos si repites sistemáticamente varias formas que se superpongan. Con un método tan simple se consiguen resultados muy complejos.

5 Colorea el dibujo final. Este ejemplo se coloreó con *Photoshop*, pero los métodos para colorear las escamas son los mismos para cualquier medio (ver página 60).

1 Empieza con una línea de formas repetidas.

2 Añade otra capa, esta vez con una forma diferente.

3 Sigue así hasta que consigas el patrón que desees.

4 En este ejemplo, la primera línea de formas repetidas forma la espina dorsal. En el costado pasan a ser escamas más grandes y se va reduciendo el tamaño poco a poco.

5 Cuando utilices esta técnica en una bestia tridimensional, recuerda tener en cuenta las curvas corporales. Si utilizas los detalles de forma adecuada resaltarás la forma del cuerpo.

Un ejemplo de un boceto energético que se ha utilizado para una imagen que retiene las características del original. Fíjate en que se ha cambiado el brazo izquierdo para incorporar un cuerpo atrapado en la garra.
"Bazil", David Spacil

UП CONSEJO ESPECIAL

■ *Fíjate en los esqueletos que encontrarás en museos y libros de referencia. Los de los cocodrilos y Tyrannosaurus Rex son muy útiles para dibujar dragones, pero los de jirafas y caballos también dan ideas interesantes que se pueden aplicar a bestias fantásticas.*

■ *Elige dos esqueletos de animales muy diferentes y empléalos para desarrollar dos dragones.*

BESTIAS monstruos gigantes

MONSTRUOS COMO EL BEHEMOTH O EL ZARATAN FORMAN UNA CATEGORÍA PROPIA DEBIDO A SU TAMAÑO. SON TAN GRANDES COMO EDIFICIOS, MONTAÑAS, ISLAS... O INCLUSO PLANETAS. SON ESPECIALMENTE FAMOSOS ENTRE LOS CREADORES DE MITOS JAPONESES, QUE HAN DESARROLLADO UNA GENERACIÓN DE HÉROES GIGANTES QUE DEBEN IMPEDIR QUE ESTOS MONSTRUOS DESTRUYAN TOKIO.

Resulta muy interesante crear este tipo de bestias. Como referencia te servirán las mismas que para cualquier otro animal fantástico, pero lo que resulta más impactante es la forma en que se sitúa en su entorno (a veces, el propio monstruo es el entorno). El artista debe elegir con cuidado qué colocar alrededor de la criatura para resaltar su tamaño. Los objetos que aparezcan en primer plano deben ser pequeños, y esto resulta un problema por la cantidad de detalles laboriosos que requieren. Después, el uso extremado del escorzo puede servirte para realzar la presencia del monstruo.

El behemoth es el monstruo gigante original. Aparece en el libro de Job y se representa como un elefante enorme. Algunas descripciones le han dotado de un revestimiento metálico y picas defensivas. El zaratan es una tortuga marina gigante que aparece en muchas historias, como en la de Simbad. La leyenda que se repite casi siempre cuenta cómo un grupo de marineros atracan en una isla que se hunde y les ahoga. Como es lógico, no se trata de una isla, sino de un animal.

COLOREAR LAS ESCAMAS

Esta técnica, que se puede emplear para colorear cualquier objeto, se debe realizar de forma sistemática. Se puede aplicar digitalmente o con pintura, lápices de colores o pastel. No funciona con rotuladores de punta de fieltro porque no se difuminan bien.

BEHEMOTH

1 El punto de partida obvio es un boceto de un elefante. Puedes calcar el contorno de una fotografía.

2 Añade detalles de forma sistemática. En este caso, las orejas se inspiran en las alas de un murciélago, las escamas en una serpiente y la cubierta metálica que rodea el muslo de las piernas traseras, en un

caparazón de caracol. Sombrea debajo de la armadura para que parezca que sobresale ligeramente del cuerpo.

3 Colorea el dibujo acabado. Emplea los mismos métodos que para dar color a las escamas, tanto si coloreas con pintura, como si lo haces con lápices de colores o por computadora.

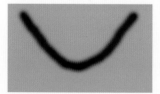

1 Completa la línea y después aplica un único color a todo el dibujo (amarillo en este caso). Hazlo de la forma más consistente posible.

2 Sombrea debajo de las líneas de cada dibujo. Todas las escamas, pliegues y puntos deben tener una sombra debajo. Empieza por un lado del dibujo y acaba por el opuesto.

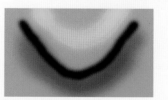

3 Haz lo mismo con los brillos. Añade un color más claro por encima de cada línea, de forma sistemática. Es un proceso laborioso, pero si tienes paciencia verás que sale bien.

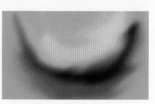

4 Difumina los colores. Si utilizas pastel o pintura, emborrónalo con el dedo o añade más pintura. Si utilizas lápices de colores, repasa los colores con el color original del fondo para difuminarlos.

Una composición magistral. Las figuras del primer plano son diminutas y enfatizan el tamaño de la bestia de cuya boca surge un fuego que cae como si fuera una catarata. La mayor parte de la imagen está ocupada por una nube de humo gigante. *"El perro faraón", Anthony S. Waters*

UΠ COΠSEJO ESPECIAL

■ *Visita un zoo o un acuario y hazle fotografías a los animales que veas allí.*

■ *Intenta realizar híbridos de estos animales y juega con las posibilidades del cruce de especies para conseguir los mejores efectos.*

■ *Añade detalles en el entorno que resalten el tamaño del personaje.*

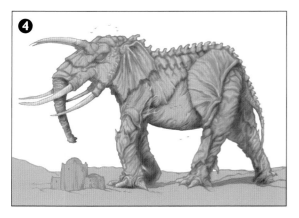

4 En este ejemplo, las líneas a lápiz se han difuminado con los colores para suavizar la imagen. Este efecto se realizó digitalmente, pero se puede conseguir también con pintura, lápices de colores y pastel.

ZARATAN

1 Estudia la anatomía de las tortugas. A mí me fascinó el caparazón y la cabeza dura y huesuda, que parece tan sencilla pero que daría un miedo tremendo si fuera enorme.

2 Realiza un boceto para definir la composición de la imagen. Antes de quedar satisfecho, prueba con diferentes ángulos y elementos.

3 Añade los detalles del mismo modo que con el behemot. Emplea la cabeza, el cuello duro y el caparazón de la tortuga como referencia. Añade el bote, el mar y el fondo.

4 Colorea la imagen y difumina las líneas a lápiz igual que hiciste con el behemoth.

En esta carátula de un álbum aparece un monstruo marino mítico formado por animales reales... una especie de Frankenpez. Utilizamos fotografías tomadas en acuarios como referencia. Una vez aprobado el diseño, se envió al equipo fotográfico a varios acuarios para que hicieran fotos de las partes importantes de los animales desde los ángulos adecuados. Al final, las fotos se unieron digitalmente y se empleó el dibujo original como guía. *"Ween", Storm Thorgersen, Finlay Cowan, Sam Brooks, Jason Reddy y Peter Curzon*

BESTIAS caballos

EN LAS HISTORIAS FANTÁSTICAS, LOS CABALLOS APARECEN COMO LA MONTURA FIEL DE CABALLEROS ERRANTES O COMO LOS PORTADORES DEMONÍACOS DE LA MUERTE PERSONIFICADA. LA PROPORCIÓN ES ESENCIAL PARA CONSEGUIR UNA APARIENCIA CORRECTA, Y COMO REGLA GENERAL, EL CUERPO DEL CABALLO (DESDE LOS HOMBROS HASTA LA COLA) ES DOS VECES Y MEDIA MÁS LARGO QUE LA CABEZA.

CABEZA

1 La forma de la cabeza equina es casi triangular: el ángulo inferior lo forma la nariz, que está ligeramente curvada y la base superior parte de un cuello grueso. La forma de la cabeza puede variar considerablemente dependiendo de la raza.

3 Añade los ojos, la boca y las fosas nasales. Puede que te cueste dibujar bien los ojos y tendrás que intentarlo varias veces hasta conseguir una apariencia adecuada. La variación más pequeña creará una gran diferencia en la apariencia del animal.

2 Añade los pómulos, que consisten en una curva prominente. Las orejas apuntan hacia fuera. Dibuja el hocico cortando la forma existente tal y como se ve en la imagen.

4 Añade sombras y aprovéchalas para resaltar detalles. La musculatura de la cabeza es bastante fina, por lo que se notan mucho los huesos.

UN CONSEJO MUY ESPECIAL

■ *Dibuja una cabeza de caballo. En vez de centrarte en las técnicas de sombreado, utiliza un patrón moteado.*

■ *También puedes colorearla por completo de negro con algunos brillos. Intenta encontrar soluciones diferentes a los problemas que te surjan.*

Este caballo, vestido con una tela sencilla pero elegante, será la envidia de todos los establos. Con su cuello arqueado y pose firme, es la montura perfecta para este jinete principesco, que está a punto de entrar en el bosque de espinas para buscar a la Bella Durmiente. *"Príncipe a caballo", Carol Heyer*

CUERPO

ESQUELETO

La forma del caballo es fácil de crear. La caja torácica es grande y se puede definir con un óvalo. La espina dorsal y la cola forman la curva de la espalda. Fíjate en que los hombros y las caderas son muy grandes, y que las pezuñas forman un ángulo con las patas.

MÚSCULOS

Este dibujo muestra la musculatura del caballo. Conocer la localización de los músculos te vendrá bien cuando añadas detalles y dibujes otras criaturas equinas.

SOMBRAS

Sombrea el caballo siguiendo las líneas musculares. Muchas veces no te hará falta porque le colocarás sillas de montar o armadura.

ARMADURA

1 Se ha colocado la armadura a este caballo de la misma forma que a un humano (ver páginas 72 y 73). Las láminas metálicas siguen las curvas del cuerpo. Se le ha puesto una sábana sobre el diafragma y la silla de montar encima. Ésta está decorada por delante y por detrás. Se han añadido protecciones adicionales para resaltar las rodillas y los tobillos.

2 Sombrea la armadura y añade picas decorativas en la frente, el cuello, el pecho, las rodillas y las pezuñas. Las partes visibles del caballo son negras casi por completo, por lo que no hace falta delinear la musculatura. La silla parece vieja y curtida, y las láminas de la armadura tienen algunos brillos sencillos que aumentan su apariencia metálica.

BESTIAS caballos e híbridos

**64**

PARA DIBUJAR A LOS CABALLOS EN ACCIÓN DEBES SEGUIR EL MISMO PROCESO QUE CON LOS HUMANOS. ES IMPORTANTE QUE TUS CRIATURAS TRANSMITAN UN IMPACTO DINÁMICO Y QUE UTILICES LA COMPOSICIÓN DE TUS DIBUJOS DE FORMA QUE PUEDAS SACAR EL MÁXIMO PROVECHO A TUS HABILIDADES. ADEMÁS, PUEDES EMPLEAR EL CABALLO COMO MODELO PARA MUCHAS OTRAS CRIATURAS.

GALOPE

1 Te puedes hacer una idea de los movimientos de un caballo con unas pocas líneas sin tener que pensar en proporciones ni detalles.

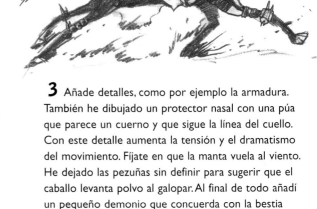

2 Añade la forma del cuerpo, la cabeza y las extremidades. Modifica el dibujo lo necesario para mejorar las proporciones, y para ello puede que tengas que borrar y redibujar. No entres en detalles por ahora. Asegúrate de que las rodillas están en la posición correcta y que las partes están proporcionadas.

3 Añade detalles, como por ejemplo la armadura. También he dibujado un protector nasal con una púa que parece un cuerno y que sigue la línea del cuello. Con este detalle aumenta la tensión y el dramatismo del movimiento. Fíjate en que la manta vuela al viento. He dejado las pezuñas sin definir para sugerir que el caballo levanta polvo al galopar. Al final de todo añadí un pequeño demonio que concuerda con la bestia malvada que monta.

UN CONSEJO ESPECIAL

■ *Intenta crear híbridos de humanos y animales. ¿Qué apariencia tendría un caballo con dos colas o un ojo? ¿Y si estuviera cubierto de espinas, pelaje o escamas de pez y aletas?*

■ *Invéntate historias para esta criatura. ¿Cómo nació y cómo va a morir? ¿Es bueno o malo? ¿Tiene poderes especiales?*

Esta interpretación clásica de un centauro atacado por una manada de panteras muestra un uso excelente de la composición, el escorzo y los giros corporales.

"Centauro atacado", Stan Wisniewski

HÍBRIDOS DE CABALLO

CENTAURO

El centauro es uno de los híbridos más famosos de la mitología griega. Es un caballo con torso de hombre que surge en el lugar en el que el caballo tendría el cuello.

CABALLO COCODRILO

En esta imagen empleé el cráneo de un cocodrilo sobre el cuerpo de un caballo. El cuello, los hombros y los músculos tienen la apariencia escamosa de la piel de un reptil. Además, tiene unos apéndices en forma de cuernos en la parte interior de las patas, así como pies de dinosaurio con garras en vez de pezuñas, cola espinosa y un par de cuernos en las caderas.

CABALLOS DEMONIACOS

Dibujé estas versiones estilizadas de cabezas de caballo para emplearlos como demonios. No son fieles a la apariencia de un equino, pero queda claro que la idea original era la de un caballo, antes de añadir las orejas picudas y los cuernos.

PEGASO

Pegaso es un ser de la mitología griega. Es el semental alado que surgió de la sangre del cuello de Medusa después de que la decapitara Perseo.

Un grifo duerme al son de una serenata nocturna cuando el Sol se pone en Nueva York.

Es una versión refrescante de un mito antiguo. *"Grifo en el Met"*, Theodor Black

UN CONSEJO ESPECIAL

■ *Los museos de historia natural están llenos de aves que no intentan huir cuando te acercas. Elige una especie y estudia las plumas. Observa cómo están situadas en las diferentes partes del cuerpo.*

■ *Dibuja los distintos tipos de plumas e intenta colorearlas. Difumina los colores en plumas suaves y aterciopeladas, pero mantén más detalles en las que sean más grandes y robustas.*

BESTIAS otras criaturas

ADEMÁS DEL CABALLO, EL MUNDO FANTÁSTICO ESTÁ POBLADO POR UNA AMPLIA GAMA DE CRIATURAS QUE TAMBIÉN VIVEN EN EL MUNDO REAL. PUEDES REALIZARLAS DE FORMA REALISTA, COMO UNA LECHUZA (AUNQUE PROBABLEMENTE PODRÁ HABLAR), O CON UNA LIGERA VARIACIÓN, COMO UN PAR DE CABEZAS DE MÁS.

La lechuza no es un ave mítica, pero es un ser con poderes simbólicos increíbles. En la Edad Media, se la consideraba portadora de malos augurios, pero hoy en día representa la sabiduría. Dibujar un ave es una tarea ardua, y las lechuzas son tan extrañas que pueden resultar desesperantes. Los ojos enormes y el plumaje delicado requieren una observación cuidadosa y atención al detalle. Cerbero es el perro guardián por excelencia que vigila las puertas del Hades. Aunque el poeta griego Hesíodo dijo que tenía cincuenta cabezas, normalmente se le dibuja con tres, que se dice que miran al pasado, el presente y el futuro.

LECHUZA

1 La cabeza de la lechuza es plana, con forma ovalada y muy grande en relación con el cuerpo. Las piernas tienen apariencia sólida porque están recubiertas de plumas. Fíjate en el ceño fruncido que se consigue al dibujar dos líneas diagonales sobre las cuencas de los ojos. Prueba con diferentes estructuras como ésta hasta que consigas las proporciones que te convenzan.

2 La zona pectoral tiene una línea central bien definida. Elegí una composición con la cabeza girada a un lado y con el ala izquierda extendida sobre el pecho. El ala derecha parece un poco encorvada y la pata derecha está más alta que la izquierda. Estos detalles menores dan más personalidad a la figura.

3 La línea central del pecho sirve de guía para las plumas, pues todas apuntan hacia ella. Las plumas varían dependiendo del lugar en el que aparezcan, por lo que tendrás que desarrollar técnicas diferentes para cada tipo. Utiliza líneas suaves, acordes con la textura de las plumas, y el sombreado debe ser también sutil.

CERBERO

1 Empleé un bulldog como modelo para Cerbero. Fíjate en la distancia entre las piernas, que consigue un aire desafiante y una pose bien asentada. Es difícil colocar tres cabezas en un cuerpo. Empieza por dibujar tres círculos sobre los cuartos delanteros como punto de partida para el cuello y después aboceta las cabezas.

2 Cuando estés satisfecho con las proporciones, añade detalles como los ojos, las orejas y bocas agresivas.

3 Añade detalles en la piel y los músculos. Debes enfocarlos de la misma forma que lo harías con la anatomía humana. Añade más detalles en el cuello para que visualmente se asienten mejor en el cuerpo.

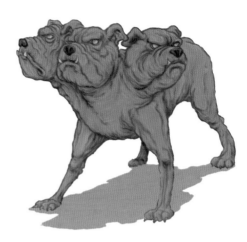

4 Colorea el dibujo final, teniendo en consideración especial las zonas de sombra de debajo de las cabezas y las partes inferiores del cuerpo.

4 Colorea el dibujo acabado. Emplea el mismo método con las plumas que con las escamas (ver página 60), pero más difuminadas para sugerir suavidad. Si pierdes demasiados detalles durante el proceso, vuelve a añadirlos con un lápiz oscuro.

Esta carátula de un álbum se creó con un programa de diseño en 3D llamado Bryce. La forma básica de la criatura es la de una serpiente, pero si te fijas en la piel, parece de piedra, madera, cristal y agua. Como ves, no hay límites si dejas libre la imaginación. *"La Kadusa", Nick Stone*

HOMBRES BESTIA orcos y trols

LOS ORCOS Y LOS TROLS NORMALMENTE SE AGRUPAN PARA CREAR UN EJÉRCITO DE LAS TINIEBLAS, UNA HORDA DE LOS INFIERNOS BAJO EL MANDO DE UN LÍDER MALVADO, UN MAGO O UN DEMONIO. SIMBOLIZAN LA PÉRDIDA TOTAL DEL COMPORTAMIENTO CIVILIZADO Y LA INTELIGENCIA. SUS FORMAS BÁSICAS SE PUEDEN EMPLEAR PARA UNA AMPLIA VARIEDAD DE DEMONIOS, DUENDES Y OGROS.

TROLS

1 Los trols son los gorilas del mundo fantástico. En esta ilustración se ve la diferencia entre un esqueleto humano y el de un gorila. Fíjate en que tienen la misma altura, pero el del gorila es mucho más ancho. Además, los brazos son mucho más largos y la pelvis resulta gigante en comparación.

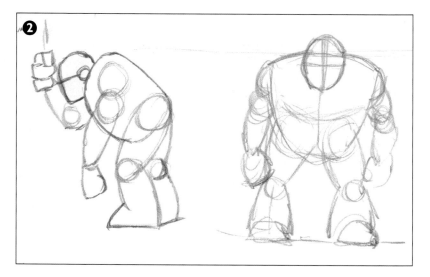

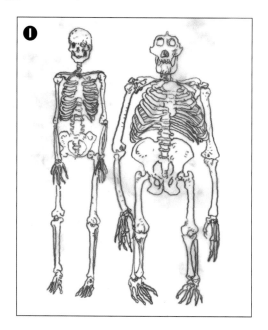

2 La cabeza se dibuja baja, por debajo de la línea de los hombros, por lo que esta criatura tiene siempre una apariencia encorvada. Imagínate un gorila, sólo que mucho menos inteligente. Las caderas están echadas hacia atrás y las piernas son gruesas y fuertes, lo que le confiere una pose sólida.

UN CONSEJO ESPECIAL

■ *Fíjate en diferentes cráneos en enciclopedias de animales o en Internet, como por ejemplo los de peces, dinosaurios, reptiles o aves. Te resultará más fácil dibujarlos si encuentras uno del tamaño adecuado. Si no, modifica el tamaño con una fotocopiadora o por ordenador.*

■ *A partir de la misma imagen, realiza variaciones diferentes. De este modo, construirás tu propio lenguaje gráfico.*

Esta figura, gracias al desenfoque y a las capas de texturas, tiene una apariencia amenazante con una gran dosis de misterio. *"Hamlet alienígena", David Spacil*

ORCOS

1 Los orcos tienen más apariencia de ave o reptil que los trols. Las caras son alargadas como las de las aves y las orejas son puntiagudas.

3 La vestimenta de estas criaturas despreciables consiste en una capa de harapos y trozos de cuero cosido a las que se añaden fragmentos de armadura para los hombros y rodillas. Los detalles decorativos consisten en joyas creadas con huesos, dientes o incluso un cráneo. Toda la ropa parece estar hecha a mano. La actitud agresiva se acentúa con las púas de la armadura.

2 Los ojos quedan mejor sin pupilas, como si fueran sólo bolas de luz rodeadas por círculos negros que sugieren que están hundidas y vacías. En cierto modo, simboliza que no tienen alma ni compasión. También puedes emplear ojos de serpiente o pequeños puntos negros para que parezcan aún menos humanos. La vestimenta es igual que la de los trols.

MODELOS DE CRÁNEO

Te resultará más fácil construir un personaje si tienes un punto de partida, como por ejemplo el cráneo o el esqueleto. Estos dos cráneos -el de un cerdo y el de un hombre primitivo- provienen de unas fotografías digitales tomadas en un museo. Después se imprimieron y las calqué sobre una caja de luz. Más tarde las volví a calcar para crear los personajes.

CRÁNEO DE HOMBRE PRIMITIVO

CRÁNEO DE CERDO

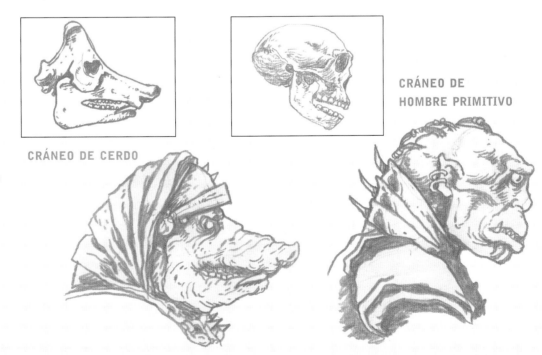

HOMBRES BESTIA híbridos

UNA BUENA FORMA DE CREAR PERSONAJES INTERESANTES ES INFORMARTE SOBRE BESTIAS MÍTICAS E INTENTAR RECREARLAS CALCANDO FOTOGRAFÍAS DE ANIMALES Y AÑADIENDO LAS PARTES QUE FALTEN. TE SORPRENDERÁN LOS RESULTADOS Y PROBABLEMENTE CREARÁS SERES QUE NUNCA TE HABRÍAS IMAGINADO.

AUNYAINÁ

Este ser aparece en la mitología del pueblo tupari de Brasil. Se dice que es un demonio del principio de la Creación. Para esta imagen horripilante me basé en la historia que cuenta que de su cuerpo muerto surgieron lagartos.

BELCEBÚ

Este nombre significa "señor de las moscas". Tomé la traducción literalmente y calqué diversas imágenes de moscas. Después compuse un *collage* horripilante y las añadí a un cuerpo humano. Las piernas son cortas y fornidas, para resaltar la apariencia demoníaca.

BOSSU

En las creencias vudú de Haití, el bossu es un hombre gigante con cuernos. Encontré una fotografía interesante de un carnero con cuatro cuernos, la calqué y después los injerté en una cabeza humana. Añadí tatuajes en la cara y el cuerpo al estilo de los mares del Sur para potenciar la apariencia haitiana.

MANTÍCORA

Según Ctesias, el médico griego, la mantícora era una bestia que habitaba en la India y que tenía tres filas de dientes, rostro de hombre, cuerpo de león y cola de escorpión. La cola escupía púas como si fueran flechas.

KAPPA

Los kappa eran demonios acuáticos japoneses que tenían forma humana, aunque con una depresión en el cráneo en la que llevaban agua, sin la cual el kappa perdería sus poderes. Se decía que el cuerpo era un caparazón de tortuga.

GARUDÁ

Es la montura del dios hindú Vishnú. Garudá es medio hombre medio buitre, y tiene la cara blanca, las alas rojas y el cuerpo dorado. Por toda la India se encuentran imágenes suyas, pero preferí crear mi propia versión partiendo de imágenes de buitres. El que usé como referencia tenía el cuello especialmente largo y erizado.

SÁTIRO

Los sátiros tenían torso y cabeza humana y piernas de cabra. Eran seres lascivos que bebían vino y a los que les encantaba bailar. Este ejemplo es particularmente grotesco.

MINOTAURO

El minotauro era un ser medio hombre medio toro que vivía en el laberinto de Creta. Intenté dibujarlo con cabeza de búfalo en vez de la de toro, y me gustó el resultado.

ICTIOCENTAURO

El ictiocentauro tenía torso humano y la parte inferior correspondía a un delfín. Intenté plasmar esta idea varias veces, pero no me resultó interesante, así que la invertí y creé una criatura con cabeza de pez y cuerpo humano.

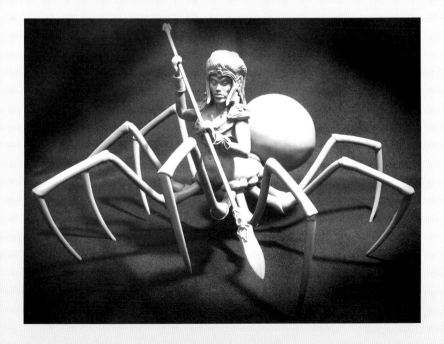

UN CONSEJO ESPECIAL

▪ *Lee descripciones de bestias míticas en libros. En vez de buscar interpretaciones ya existentes, intenta imaginarte cómo serían. Calca a partir de libros de ilustraciones de animales para conjuntar las diversas partes del cuerpo.*

▪ *No te limites rígidamente a las descripciones originales. Experimenta y observa las posibilidades nuevas mientras lo hagas.*

Este modelo de arcilla muestra un híbrido bien diseñado que puede ser un personaje chocante y memorable. *"La reina araña"*, Patrick Keith

UN CONSEJO ESPECIAL

■ *Estudia ejemplos de armaduras animales, como las escamas de peces y reptiles, los caparazones de los crustáceos, las garras y picos de las aves de presa y detalles como púas, picas y zarcillos.*

■ *Dibuja una armadura de cuerpo normal y después añádele alguno de los elementos animales anteriores.*

Esta bestia incendiaria es original e inspiradora. Es un acercamiento interesante al diseño de armaduras.

"Bestia incendiaria", Rob Alexander

ORNAMENTACIÓN
armaduras

EXISTE UNA CANTIDAD INMENSA DE MATERIAL SOBRE ARMAS Y ARMADURAS, POR LO QUE NO TE RESULTARÁ DIFÍCIL ENCONTRAR MOTIVOS PARA INSPIRARTE. LOS DISEÑOS MEDIEVALES EUROPEOS SON LOS MÁS USADOS PARA LAS ARMADURAS FANTÁSTICAS, PERO SE PUEDEN AÑADIR ADORNOS INGENIOSOS BASADOS EN ARMAS TRIBALES, MAQUINARIA DE GUERRA MODERNA Y RASGOS DEL REINO ANIMAL.

VISTA FRONTAL

1 Sitúa a la figura en la pose que desees.

2 Con una caja de luz y papel calca, empieza a rodearla con la armadura. He empleado un estilo basado en los crustáceos: numerosas láminas que se solapan. Es normal colocar un faldilla de tela o de cota de malla alrededor de la cintura. Fíjate en que se han añadido muchos detalles que se perderán a la hora de sombrear.

3 Añade el sombreado. He empleado una luz fuerte que proviene de la izquierda para resaltar la fuerza del personaje, y por ello la mitad derecha del personaje está tan oscura. Puedes sombrear hasta el borde de cada lámina, pero es mejor que dejes una línea blanca en el borde principal de las láminas, donde serían más gruesas o el borde estaría levantado. Por último, adorna la armadura.

VISTA DE PERFIL

1 Esta imagen es muy suelta, como si fuese de una tira cómica o para un diseño de personaje. Añade líneas de dirección con una caja de luz y papel calca para señalar cómo cae la armadura sobre el cuerpo.

2 Empieza a construir la armadura y resalta la musculatura que hay debajo de ella. Añade hebillas y cuerdas (borra después las líneas que haya debajo).

3 Dibuja crestas en los bordes principales de la armadura, como las láminas de los hombros y los muslos, para añadir peso a la imagen. Empieza a dibujar sombras en los bordes inferiores para dar la impresión de que las láminas cuelgan. Añade elementos decorativos a las láminas. Fíjate en que los protectores de las mejillas tienen un diseño aleatorio. Los detalles como éstos no tienen por qué ser exactos.

4 Sombrea con más fuerza y repasa cada línea para reforzarla. Es un proceso instintivo que desarrollarás con el tiempo. Debes aprender a realizar las líneas como si esculpieses en arcilla y definieses la forma poco a poco. Añade líneas al guantelete para conseguir un efecto metálico, así como muescas y marcas para que resulte más real.

YELMOS

ALEJANDRO MAGNO

Este yelmo se diseñó a partir de una cabeza de leopardo con cuernos añadidos. A Alejandro se le conocía como "el de dos cuernos", en parte por este yelmo y porque decían que se comportaba como un demonio del Infierno.

SAMURÁI

La parte superior es metálica, pero los lados son una mezcla de metal y tela. El yelmo se completa con dos bandas de tela que protegen la barbilla y el cuello. Es un buen elemento protector y resulta atractivo, aunque es un poco pesado en comparación con el islámico.

ISLÁMICO

La cota de malla protege el cuello y los lados de la cabeza, aunque no restringe el movimiento. Los cuernos son un rasgo común en el diseño de yelmos y recuerdan la apariencia clásica de los vikingos. El detalle del bigote muestra un alto grado de refinamiento y puede resultar enigmático si se tiene en cuenta lo que el portador podría estar haciéndote.

HOPLITA GRIEGO

Este yelmo lo portaban las tropas de Alejandro Magno y es varios siglos anterior al resto. Por ello, tiene muchos menos elementos ornamentales, excepto la crin. El hueco para los ojos y los protectores de mejillas crean una imagen impactante.

ORNAMENTACIÓN armas

DESDE AMÉRICA HASTA EL LEJANO ORIENTE Y DE ÁFRICA AL PACÍFICO Y OCEANÍA, LA HUMANIDAD HA MOSTRADO UNA IMAGINACIÓN INCREÍBLE A LA HORA DE DISEÑAR HERRAMIENTAS ÚTILES PARA DESTRUIR A LOS DEMÁS.

PICAS

Con estos ejemplos traídos de Suiza puedes ver que no hace falta que las armas sean simétricas. Las cuchillas tienen curvas elaboradas y la forma cambia a cada lado del palo, que está dibujado con una textura de madera y líneas toscas. Puedes emplear vainas metálicas y borlas decorativas para darle un toque de color.

HACHAS

1 Las hojas de las hachas tienen una forma simple que puedes modificar para que resulten más elaboradas. Esta última se inspira en la forma de un escorpión.

2 Se pueden utilizar vainas metálicas en el mango. La empuñadura se puede crear con un cordel envuelto en metal o piel animal. Las vainas resultan más convincentes si son más gruesas que el palo.

3 Estas hachas arrojadizas provienen de África y muestran una variedad de hojas muy interesante. Están realizadas a partir de una única pieza de metal y no tienen vainas ni decoración alguna.

ESPADAS

1 La espada es el arma por excelencia del héroe. Simboliza el poder del Bien sobre el Mal. Aquellas que tienen grabados denotan orígenes místicos y normalmente sirven para sacar al héroe de un apuro. Muchas espadas tienen nombre, como Excalibur, la espada del Rey Arturo.

2 A la derecha verás que una empuñadura asimétrica también puede dar buenos resultados en una espada. Conseguirás el efecto de una decoración complicada sin preocuparte de que sea perfectamente simétrica. Las espadas africanas y asiáticas a menudo tienen hojas curvas.

MARTILLOS

MAZAS

1 Las mazas tienen un propósito parecido al de los martillos, pero las cadenas permiten girar el arma con más soltura. Dibuja el mango igual que el de un hacha o una pica. La cabeza es redonda y tiene púas de aspecto siniestro.

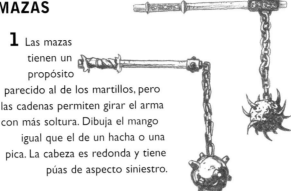

2 Las cadenas y cotas de malla son objetos difíciles de dibujar, pero son muy comunes en el arte fantástico, por lo que es importante aprender a realizarlas. Dibuja primero la línea central para indicar la dirección en la que quieres que penda la cadena, y después traza las dos líneas que corren paralelas. Más tarde puedes subdividirlas para ayudarte a dibujar los eslabones. Para terminar, sombrea la cadena.

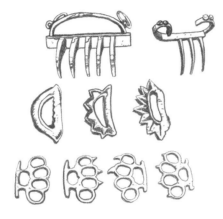

Los martillos son populares entre los orcos y otros habitantes de los infiernos. Las espadas tienen un simbolismo refinado, pero los martillos recuerdan los instintos más brutales de los ogros. Los efectos sobre las víctimas lo reflejan: un golpe de martillo no es una muerte limpia, como la causada por una espada. Dos de los martillos mostrados tienen correas para girarlos. Prueba con diferentes tipos de cabezas. Aquí he empleado una de madera, otra de metal y una con púas. Lo importante es encontrar un diseño que cause el mayor daño posible.

PUÑOS METÁLICOS

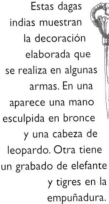

Todos estos ejemplos proceden de Asia y muestran muchas de las variantes posibles. Algunas se inspiran en las garras de tigre y otras llevan cuchillas. Si añades estos elementos a orcos, trasgos y otras criaturas malvadas, realzarás la apariencia agresiva.

DAGAS

Estas dagas indias muestran la decoración elaborada que se realiza en algunas armas. En una aparece una mano esculpida en bronce y una cabeza de leopardo. Otra tiene un grabado de elefante y tigres en la empuñadura.

UN CONSEJO ESPECIAL

■ Aprovecha la investigación en armadura animal (ver página 72) y emplea garras y picos para crear formas diferentes de hojas.
■ Añade líneas de sombra y emplea un borrador para crear brillos metálicos en las hojas.

Este personaje, que porta una armadura y un arma extrañas, resulta especialmente amenazador por su belleza y elegancia. *"Avatar de la aflicción"*, R.K. Post

ORNAMENTACIÓN tótems y máscaras

UN TÓTEM ES UN OBJETO EMPLEADO POR UNA TRIBU, CLAN O GRUPO DE
PERSONAS PARA DEFINIRSE. ES UNA ESPECIE DE LOGOTIPO O MARCA. LAS
MÁSCARAS SON UN ELEMENTO PROTECTOR, PERO TAMBIÉN SE EMPLEAN
PARA RITUALES. CUANDO ALGUIEN SE PONE UNA MÁSCARA, COBRA UNA
IDENTIDAD NUEVA.

TÓTEMS

La gran variedad de tótems existentes
en el mundo es un gran recurso para el
diseño de personajes fantásticos. Aplícalos
a tus personajes para crear un barniz de
detalles interesantes e imaginativos.

ESTATUILLAS

Las estatuillas van desde
representaciones realistas hasta
híbridos humanos y animales
extraños. Gracias a esto,
puedes experimentar con
gran cantidad de expresiones
raras e increíbles.

TÓTEMS ANIMALES

Las esculturas de animales en piedra
o madera se utilizan como amuletos
de buena suerte. Se pueden adornar
con diversos logotipos o ribetes.

COLUMNA

En las culturas nativas americanas,
estas columnas se emplean para definir
a la tribu o clan y para narrar su historia.
Normalmente se componen de figuras
animales y humanas.

UN CONSEJO ESPECIAL

■ *Si no tienes la posibilidad de visitar
un museo etnográfico, busca en Internet
o en libros viejos para encontrar material
de referencia. Las revistas de National
Geographic te mostrarán posibilidades
interesantes.*

■ *Emplea las referencias que encuentres
para romper con las convenciones. ¿Cómo
quedaría tu héroe con un tatuaje facial o
un postizo enorme?*

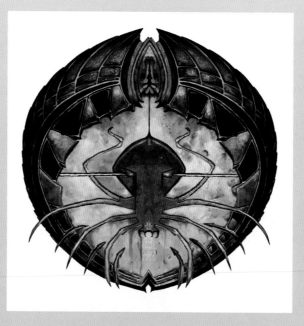

Este emblema emplea
una araña para conseguir una
apariencia oscura.
"Icono arácnido", *Anthony S. Waters*

Las máscaras tienen
muchos significados y usos.
En este caso, resalta la
composición y la expresión y
actitud del personaje. *"Mundo
extraño I", Martina Pilcerova*

CRÁNEOS

Los tótems perfectos para orcos y trols son una colección de cráneos, cuernos y huesos. Para que tus creaciones resulten interesantes, a veces tendrás que dibujar cosas inesperadas, como por ejemplo un tótem de cabezas reducidas.

MÁSCARAS

MÁSCARAS TEATRALES JAPONESAS

En Japón existe la tradición antiquísima de crear máscaras muy elaboradas para emplearlas en el teatro. Estos ejemplos pueden servir de inspiración para muchas muecas y expresiones faciales que se traducen muy bien en el dibujo.

MÁSCARAS AFRICANAS

Las máscaras africanas tienen una diversidad tremenda de estilos y te servirán de inspiración para nuevos personajes y criaturas. No te las imagines como máscaras, sino que intenta convertirlas en carne, sangre o incluso metal. Transfórmalas en robots, máquinas, gigantes o pigmeos. Fíjate en las técnicas empleadas para los ceños fruncidos, los párpados o la boca y aplícalas en los lugares en los que menos se espere.

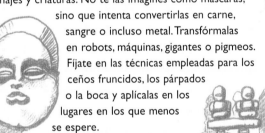

ORNAMENTACIÓN diseños

MUCHOS DIBUJANTES DE FANTASIA UTILIZAN
DISEÑOS PARA CREAR BORDES ELABORADOS
EN ROPAS, ARMADURAS Y DECORADOS. EL
PRINCIPIO BÁSICO ES LA SUBDIVISIÓN Y LA
REPETICIÓN. LAS FORMAS MÁS COMPLEJAS
SURGEN DE UNIDADES BÁSICAS COMO
CÍRCULOS O TRIÁNGULOS.
LOS DISEÑOS CELTAS E
ISLÁMICOS TOMADOS
COMO EJEMPLOS
PARECEN SIMPLES PERO
PUEDEN RESULTAR
DIFÍCILES DE COPIAR.

4 Borra las líneas de guía para dejar el patrón
limpio y prueba formas diferentes en las que las
hebras se solapen. Éste es otro punto crucial,
pues debes saber cómo se
repite el patrón y realizarlo
de forma consistente.

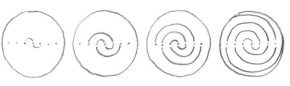

BANDAS CELTAS

1 Empieza con una
serie de puntos paralelos
y únelos con líneas
diagonales. Después
añade arcos por encima
y por debajo.

2 Rompe la continuidad del patrón, como
indican las flechas, y vuelve a unir las líneas.
Éste es un punto crucial porque el diseño se
verá afectado por la forma en que rompas la
continuidad.

3 Añade una
línea externa e
interna para dar
forma al patrón.

5 En esta ilustración se ven
algunas variaciones respecto
del mismo diseño inicial. Se ve
cómo las hebras pueden estar
apretadas sin que haya espacio
en medio. También se pueden
añadir líneas internas y quitar
la línea central. Puede resultar
confuso y frustrante al principio,
pero sigue intentándolo y verás
como lo consigues.

ESPIRALES CELTAS

1 Dibuja una serie
de puntos
espaciados dentro
de un círculo y
después únelos
como se ve en la imagen. El ejemplo de arriba
muestra una espiral de dos colas y el de abajo de tres.

Un dragón, un
nudo celta y una
superficie de piedra
pulida representan
una combinación
increíble para una
criatura fantástica.
*"Dragón sobre hueso
de dinosaurio",
Carl Buziak*

2 Hay variaciones infinitas para
explorar, como por ejemplo las
siete espirales interconectadas
que se ven aquí.

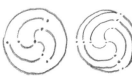

TRIÁNGULOS HEXÁGONOS

1 Dibuja un círculo con un compás. Mantén el mismo radio, coloca la punta sobre la circunferencia y empléalo para marcar otros puntos en la misma. De esta forma, el círculo quedará cortado en seis partes iguales y obtendrás un patrón floral. Une las puntas para dibujar un hexágono.

3 Puedes seguir indefinidamente y crear más triángulos dentro de la forma del hexágono.

ESTRELLAS ISLÁMICAS

Esta ilustración muestra una variante del mismo método. Emplea el compás para marcar puntos en el círculo. Una vez que hayas obtenido un hexágono, te resultará muy fácil dibujar los siguientes siguiendo las líneas. Puedes ver la progresión aquí abajo.

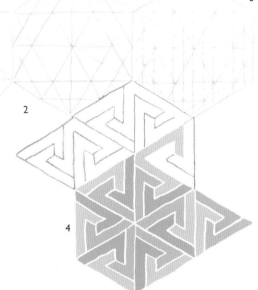

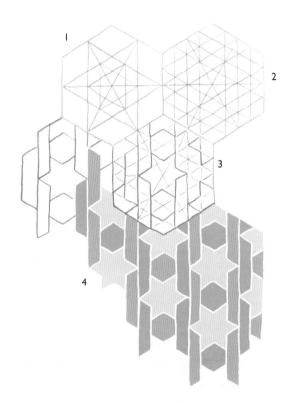

2 Une los puntos del círculo para crear dos triángulos que parezcan una estrella. En este punto es donde comienza a funcionar la subdivisión. Si dibujas líneas donde se intersectan los triángulos, obtendrás otra serie de puntos espaciados en la circunferencia.

4 Utiliza la parrilla para crear formas entrelazadas y superpuestas. En este ejemplo se ve un triángulo.

UN CONSEJO ESPECIAL

■ *Calca los ejemplos de estas páginas, así verás cómo funciona el proceso y te ahorrarás la frustración de los primeros pasos.*

■ *Después intenta crear tus propios diseños. No intentes saltarte ninguna etapa o acabará de forma desastrosa. Una vez que entiendas el proceso, te sorprenderá todo lo que aprenderás sobre las formas y diseños.*

Cuando se entiende el diseño, el dibujante puede desarrollar variaciones infinitas y cada vez más abstractas. *"Reflejos del pasado"*, Carl Buziak

perspectiva básica

PARA CUALQUIER DIBUJANTE, LA PESPECTIVA ES UNA DE LOS DESTREZAS IMPRESCINDIBLES, PUES PERMITE DIBUJAR OBJETOS ESCORZADOS EN LA DISTANCIA. ES ESENCIAL PARA DIBUJAR CUALQUIER COSA: EDIFICIOS, PAISAJES, INTERIORES E INCLUSO CUERPOS.

PERSPECTIVA DE UN PUNTO

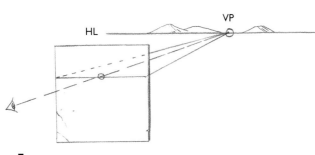

2 Fíjate en como las líneas de la carretera convergen en el punto de fuga. Si dibujaras una línea que uniera los postes de la derecha, también convergería en el mismo punto.

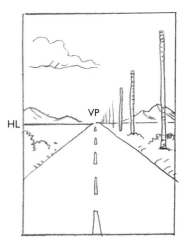

1 Empieza por dibujar la línea del horizonte (LH). Es donde el paisaje está más lejos del dibujante, está a la altura de sus ojos y, normalmente se dibuja paralela al margen superior e inferior del papel. Añade un punto de fuga (PF) en la línea del horizonte. En este punto es en el que convergen todas las líneas que se alejan en la imagen.

3 Utiliza la línea del horizonte y el punto de fuga para construir un objeto en escorzo.
Dibuja líneas que se abran en abanico desde el punto de fuga para crear el contorno del cubo. Fíjate en que las que forman la parte delantera y trasera son paralelas o están en ángulo recto con la línea del horizonte. Para este cubo, las líneas se han dibujado descendiendo desde el punto de fuga para que parezca que el espectador mira hacia abajo.

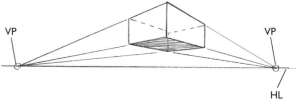

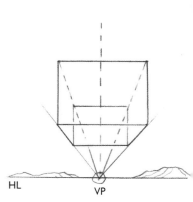

4 Si dibujas las líneas por encima de la línea del horizonte, el cubo queda por encima del punto de vista del espectador. Da la impresión de que miramos algo que está en el aire.

PERSPECTIVA DE DOS PUNTOS

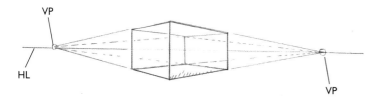

1 Utiliza la perspectiva de dos puntos para objetos que estén girados respecto al espectador. Dibuja la línea del horizonte y dos puntos de fuga donde consideres oportuno, aunque es mejor dibujarlos distanciados al principio. Traza líneas desde los puntos de fuga y después añade líneas verticales para construir el objeto. Fíjate en que las líneas verticales son paralelas entre sí. En este ejemplo, el objeto está por encima y por debajo de la línea del horizonte, lo que significa que para ver una mitad se mira por encima de la línea y para ver la otra por debajo.

2 Igual que con la perspectiva de un punto, da la impresión de mirar un objeto situado por encima de la línea del horizonte. Esta técnica es muy útil para dibujar objetos voladores, como aviones o helicópteros.

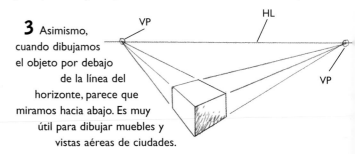

3 Asimismo, cuando dibujamos el objeto por debajo de la línea del horizonte, parece que miramos hacia abajo. Es muy útil para dibujar muebles y vistas aéreas de ciudades.

INTERIORES

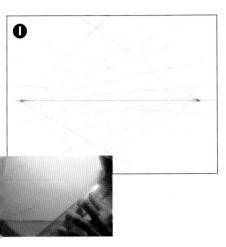

1 Emplea la perspectiva de dos puntos para construir un interior. Primero dibuja la línea del horizonte y dos puntos de fuga. Después añade una serie de líneas que se abran en abanico desde los puntos, por encima y por debajo de la línea del horizonte. Todas las líneas deben partir de los puntos de fuga. Pon el lápiz en el punto de fuga y coloca la regla debajo, dibuja una línea, vuelve a colocar el lápiz en el punto de fuga y después coloca la regla en la posición adecuada para trazar la línea siguiente.

2 Dibuja ahora líneas verticales. He añadido sólo una que representa la esquina de la habitación. Después une el punto más alto de la línea vertical con alguno de los puntos de fuga. Si incluyes trazos hacia fuera desde lo alto de la línea vertical, crearás los límites horizontales de las paredes de la habitación. Haz lo mismo en la parte inferior de la línea.

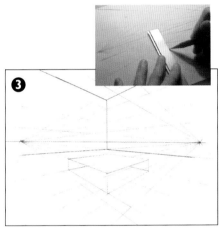

3 Utiliza el mismo proceso para dibujar la forma de la mesa en el centro de la habitación. Empieza con una única línea vertical en el lugar que desees, y dibuja algunas líneas hacia los puntos de fuga desde los dos extremos de la misma, que formarán la parte superior e inferior de la mesa. Luego deberás decidir dónde se sitúan el resto de las líneas verticales. El tamaño dependerá de los trazos de perspectiva que hayas dibujado a partir de la primera línea.

4 Emplea el mismo proceso para los pilares y otros muebles. Las sillas se basan en la forma cúbica y las líneas encajan con los puntos de fuga. Para variar, puedes recortar la forma de cubo de la mesa y crear un hexágono. Al principio te resultará difícil, pero con un poco de práctica lo solucionarás.

5 Finalmente, añade más detalles, como arcos o una galería en la parte superior de la imagen. Asegúrate de que las líneas verticales son paralelas, porque si no la imagen parecerá torcida. Al principio puede resultar muy frustrante, pero es necesario que aprendas esta técnica. Es imprescindible para cualquier dibujante.

CUERPO

Puede parecer una locura, pero para dibujar cuerpos también puedes emplear líneas de perspectiva. Dibuja una parrilla y úsala como guía para esbozar el cuerpo. Las líneas de la figura no tienen por qué corresponder exactamente con los puntos de fuga, pero seguir bastante la parrilla te servirá para conseguir una pose dinámica. Este método es especialmente útil cuando miras a un personaje desde un ángulo inferior o superior.

MUNDOS FANTÁSTICOS perspectiva avanzada

COMO INDICA SU NOMBRE, LA PERSPECTIVA DE TRES PUNTOS AÑADE UN TERCER PUNTO DE FUGA. CON ESTA TÉCNICA, AUMENTA LA SENSACIÓN DE QUE VEMOS UN OBJETO DESDE ARRIBA O ABAJO. EL TERCER PUNTO DE FUGA NO ESTÁ SITUADO EN LA LÍNEA DEL HORIZONTE, COMO LOS OTROS DOS, SINO POR ENCIMA O POR DEBAJO.

La perspectiva de tres punto a menudo requiere que los dos primeros estén muy separados. Puede que para conseguir la perspectiva que deseas, tengas que situar los puntos fuera de la página. Al principio te resultará difícil y deberás situar un punto sobre la mesa de dibujo y después seguir con la regla, pero al final no necesitarás la regla en absoluto. De hecho, una vez que domines las reglas de la perspectiva, podrás dejarlas de lado y crear efectos visuales sorprendentes como los de algunos de los ejemplos mostrados aquí.

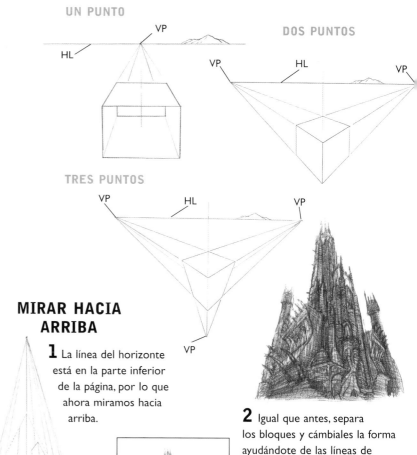

UN PUNTO

DOS PUNTOS

TRES PUNTOS

MIRAR HACIA ARRIBA

1 La línea del horizonte está en la parte inferior de la página, por lo que ahora miramos hacia arriba.

2 Igual que antes, separa los bloques y cámbiales la forma ayudándote de las líneas de perspectiva. En este caso, se han transformado en torres circulares.

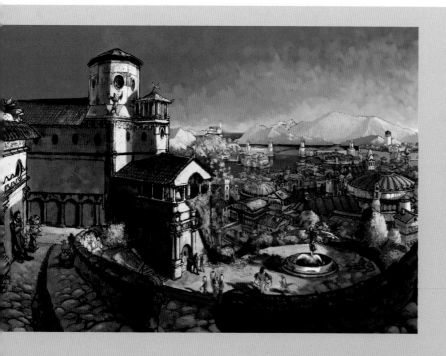

UN CONSEJO ESPECIAL

■ *Copia los ejemplos en escorzo de uno, dos y tres puntos. Si no lo consigues, cálcalos. Recuerda que para dibujar las líneas de perspectiva debes partir del punto de fuga y dibujar hacia fuera.*

■ *Cuando hayas dibujado bien el cubo, añade más y dales formas diferentes, como por ejemplo edificios. Prueba a remodelarlos en objetos como sillas. Finalmente, dibuja un interior completo o una escena arquitectónica.*

El fondo de esta panorámica se añade a una perspectiva bastante estable, pero el camino que aparece en primer plano está en una vista de ojo de pez. *"Tazoun"*, Anthony S. Waters

MIRAR HACIA ABAJO

1 Sitúa la línea del horizonte por encima de los objetos para que dé la impresión de que los miramos desde arriba.

2 Desconcha los bloques para crear formas naturales, como un templo semiderruido o un batolito como el que aparece aquí.

Esta imagen se diseñó para un desplegable de un libreto de un CD de Led Zeppelin. Es una buena muestra del empleo de diferentes perspectivas en una misma imagen. La ilustración se diseñó utilizando los principios geométricos islámicos (ver página 79). Dibujé seis cuadrados y luego los subdividí en unidades más pequeñas para producir todo lo demás.
"Drop City", Finlay Cowan y Nick Stone

ROMPER LAS REGLAS

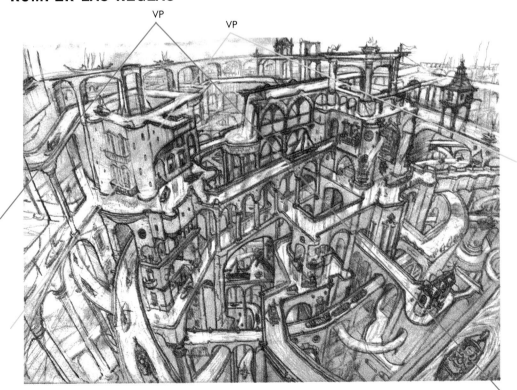

Según aumente tu confianza, te darás cuenta de que puedes dibujar en perspectiva sin necesidad de líneas de guía. Gracias a las dos líneas de perspectiva que he añadido puedes ver que no es exacta. En parte fue una decisión deliberada para crear una sensación de plano general o de vista de pez. *"Ciudad del agua negra"*, Finlay Cowan

MUNDOS FANTÁSTICOS castillos

UN MUNDO FANTÁSTICO SIN UN CASTILLO
U OTRO EDIFICIO GIGANTESCO NO ESTÁ
COMPLETO. CON LOS RUDIMENTOS DE LA
PERSPECTIVA PODRÁS CREAR CUALQUIER
ESTRUCTURA QUE SE LE OCURRA A TU MENTE.

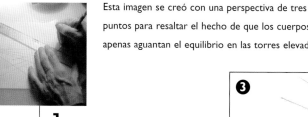

Esta imagen se creó con una perspectiva de tres puntos para resaltar el hecho de que los cuerpos apenas aguantan el equilibrio en las torres elevadas.

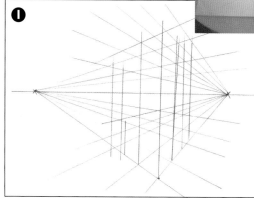

1 Dibuja la línea del horizonte y añade líneas de perspectiva que partan de los puntos de fuga. En esta imagen he empleado una perspectiva de dos puntos y muchas líneas que no son necesarias, pero forman una parrilla que te servirá para cuando tengas que incluir detalles.

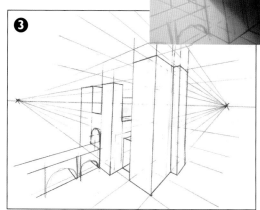

3 Dibuja los detalles principales, como los arcos, empleando una línea central y crea después la línea del arco. Borra los trazos que no utilices.

2 Añade las líneas verticales y limpia los bloques con un borrador.

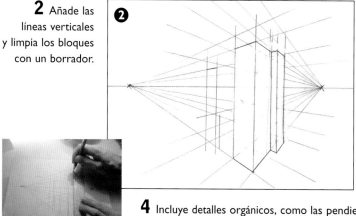

4 Incluye detalles orgánicos, como las pendientes y las colinas que rodean el castillo. Así conseguirás una estructura sólida para el dibujo final y te será más fácil añadir detalles como la textura de los muros, las almenas y algunas variantes arquitectónicas. Desconcha parte de la piedra, redondea los bordes y añade cúpulas en los bloques originales.

UN CONSEJO ESPECIAL

■ *Realiza el ejercicio que te hemos mostrado hasta que definas los bloques fundamentales del edificio.*
■ *Deja que tu imaginación idee formas originales. Prueba métodos nuevos para descomponer las formas en unidades más pequeñas y añade elementos arquitectónicos interesantes.*

En la obra del surrealista René Magritte se ven rocas gigantes que flotan en el aire. En esta imagen se han transformado en castillos curiosos y atrayentes. *"Los guardianes"*, *Christophe Vacher*

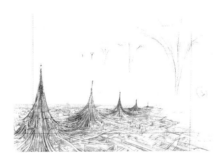

La intención de esta imagen era crear una especie de máquina del tiempo cósmica que evocara una sensación de infinitud. Fotocopié el dibujo final y le di la vuelta para crear este paisaje mecánico invertido. *"Cinco picos"*, *Finlay Cowan y Nick Stone*

Dibujé este castillo con una perspectiva de un punto, por lo que se ve de frente. Aparte de las nubes, apenas empleé el escorzo. *"El castillo de Vykram en el Hindu Kush"*, *Finlay Cowan*

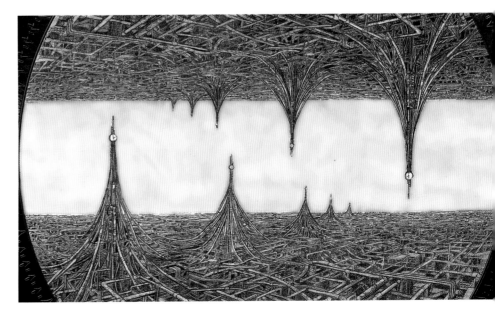

MUNDOS FANTÁSTICOS escala

EN EL MUNDO DE LA FANTASÍA NUNCA SE PUEDE DIBUJAR UN PAISAJE O
UN EDIFICIO DEMASIADO GRANDE. ESTA IMAGEN MUESTRA LOS LÍMITES
DE TAMAÑO QUE DEBES TENER PRESENTES AL DIBUJAR.

1 Dibuja la línea del horizonte en la mitad de la página y el punto de fuga justo en el centro. Después añade las líneas de perspectiva.

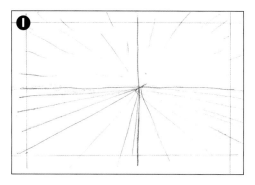

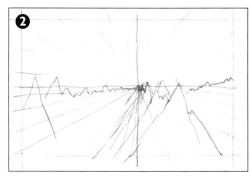

2 Aboceta las formas principales del paisaje. Las más grandes, que están en primer plano, se solapan con las más pequeñas, que están cada vez más cerca del horizonte.

3 La mayor parte de los picos sobrepasan la línea del horizonte, pero aun así se ve en el fondo. Si el horizonte queda visible tendrás más distancia con la que jugar.

4 Dibuja un castillo en la cima del primer pico y al lado de un precipicio. Este castillo se dibujó a partir de unos cuantos cilindros que se ensanchan en la base.

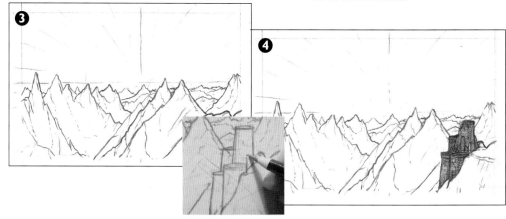

Arriba: El escorzo gradual se potencia al rodear los edificios de una niebla densa. "La capital de los vampiros", Anthony S. Waters

Izquierda: En esta imagen, es más importante crear sensación de altura que de profundidad. "Volkhar escapa", Finlay Cowan

UN CONSEJO ESPECIAL

■ Elige una pintura clásica o una fotografía que te guste especialmente. Reinterpreta la imagen desde un enfoque completamente nuevo.

■ Cambia la perspectiva y el punto de vista, añade o quita elementos, o exagera aspectos como el tamaño y el color. La imagen que elijas no tiene por qué ser del género fantástico en un principio, pero cuando la termines lo será.

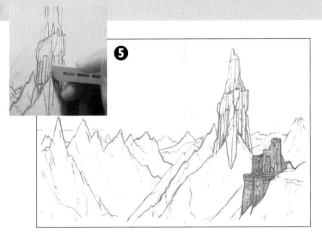

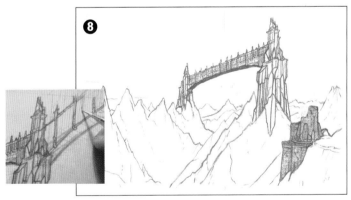

5 Normalmente, los edificios que aparezcan en la lejanía serán más pequeños que los que aparezcan en primer plano. Si es más grande se resalta especialmente la escala. El castillo grande está formado por rectángulos con anexos irregulares. Borra las líneas originales de la montaña con una goma fina.

6 Si dibujas un castillo similar más lejos resaltarás el tamaño general del paisaje. Compara este dibujo con la etapa previa, en la que los ojos se fijan en los edificios que aparecen en primer plano. Al colocar algo a media distancia, nos hacemos una idea del espacio que hay en medio.

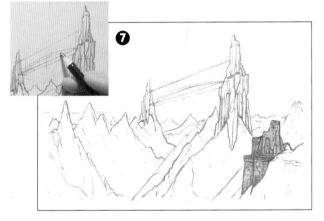

7 ¿Pero por qué detenernos en este punto? En esta imagen, los dos edificios están unidos por un puente increíblemente grande, que salta a la vista porque está por encima de la línea del horizonte y parece que pende sobre nosotros. Dibujar curvas en perspectiva es difícil, y es preferible realizar primero un rectángulo y trazar las curvas a través de él.

8 Añade más detalles al puente para resaltar el tamaño. Para que parezca grande los detalles deben ser microscópicos, por lo que puede resultar frustrante. El truco consiste en dividir el objeto y volver a subdividirlo una y otra vez. Además, conseguirás efectos sorprendentes con colores y sombras.

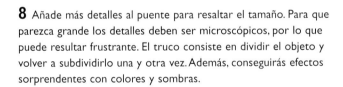

9 Dibuja más torres y puentes que desaparezcan en la distancia. Algunas nubes siguen de forma vaga las líneas de perspectiva, y otras más finas y planas aparecen sobre el horizonte por detrás de los picos. Dos toques finales resaltan la escala de la escena: una nube pequeña que flota delante de la primera torre y una bandada de pájaros diminutos que vuelan por encima del castillo que aparece en primer plano.

MUNDOS FANTÁSTICOS arquitectura

LO MEJOR DE DISEÑAR MUNDOS FANTÁSTICOS ES QUE NO TE TIENES QUE SOMETER A LOS LÍMITES DE LA REALIDAD Y PUEDES CREAR ESTRUCTURAS IMPOSIBLES, COMO CASTILLOS DEL TAMAÑO DE MONTAÑAS O EDIFICIOS QUE FLOTEN EN EL AIRE. PERO PARA QUE LA IMAGEN RESULTE CONVINCENTE, LOS DIBUJANTES NORMALMENTE SE ATIENEN A ARQUITECTURAS FAMILIARES Y LUEGO LAS EMBELLECEN.

ARQUITECTURA ISLÁMICA

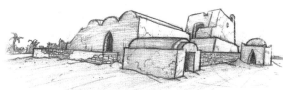

Ésta es una pequeña mezquita rural de la isla de Yerba, en Túnez. Yerba es la isla legendaria de los comedores de loto de la *Odisea* de Homero, y era un lugar del cual sus visitantes jamás deseaban marcharse. Túnez es conocido porque allí se rodó parte de las películas de *Star Wars*. Su estilo arquitectónico ha influido sin duda en el de ciertos lugares de la película, como el puerto espacial de Mos Eisley.

ARQUITECTURA CLÁSICA

La belleza de la arquitectura grecorromana se basa en el ritmo y la proporción que parte de un sistema exacto de medidas que ha influido en la construcción de edificios, desde la Antigüedad hasta hoy en día. Estos estilos tienen sus complementos particulares, como se ve en este ejemplo. Estudiar la arquitectura clásica te ayudará a desarrollar el sentido de la proporción.

INTERIOR GÓTICO

1 Este estudio preparatorio está inspirado en el interior de una catedral gótica con los arcos y bóvedas de crucería característicos. La arquitectura gótica es la más empleada como referencia por los dibujantes de género fantástico.

GÁRGOLAS

1 Esta columnata de estatuas grotescas se inspira en la arquitectura asiática, concretamente en la india. Los cuerpos gruesos de las gárgolas son un elemento común en los grabados de los templos del Lejano Oriente, aunque los que aparecen en esta imagen están exagerados.

2 Los detalles resultan efectivos en este tipo de imágenes y se deben agregar gradualmente. Se parte de las formas básicas y se van añadiendo detalles en los retoques sucesivos. En este momento es cuando tus referencias te influirán más. Fijarte en estilos arquitectónicos diferentes te ayudará a definir las formas particulares de los elementos arquitectónicos que varían de cultura a cultura.

2 El diseño final, que representa un museo intergaláctico para un documental, convierte el aspecto de la catedral gótica en un estilo arquitectónico propio del mundo fantástico. Los arcos y la bóveda permanecen, pero se han añadido agujeros en las paredes para mostrar los techos del resto de los edificios, propios de la edad espacial. El interior cavernoso está lleno de una mezcla ecléctica de objetos.

CIUDAD ESPIRAL

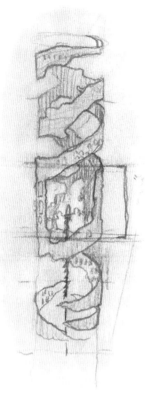

3 Algunos detalles arquitectónicos específicos, como los arcos ojivales, se han traspasado al género fantástico. El uso de detalles de este tipo ayudan a que los mundos fantásticos resulten más creíbles.

1 En estas imágenes se ve cómo un estilo arquitectónico familiar se puede recrear para un diseño de fantasía. La idea original era un edificio suspendido en el aire y que se enroscase en espiral hasta el infinito. A partir de este concepto se me ocurrió la idea de partir de una peladura de manzana, como se ve en este boceto.

2 Concebí el entorno como una serie continua de elementos arquitectónicos que evolucionaban pasando por diferentes estilos. El efecto dinámico de la imagen se vio reforzado por la perspectiva de ojo de pez.

UN CONSEJO ESPECIAL

■ *Estudia materiales de referencia arquitectónicos y dibuja elementos como columnas, arcos y otros detalles decorativos.*

■ *Como se observa en estos ejemplos, a menudo primero se nos ocurre el concepto para la imagen y después se amolda el estilo arquitectónico a la misma. Dibuja tu propio museo intergaláctico con diferentes estilos arquitectónicos, como el islámico o asiático.*

En esta ilustración se ve la guarida de un mago en la parte superior de una tienda de campaña inmensa. Me inspiré en las jarcias de un velero y situé un montón de velas superpuestas para crear una ciudad de tiendas en un entorno dominado por curvas y postes verticales. *"Ciudad de tiendas"*, Finlay Cowan

diseño de decorados

ESTA MONOGRAFÍA EXAMINA LA FORMA EN QUE LAS TÉCNICAS DE DIBUJO EMPLEADAS EN ARQUITECTURA SE UTILIZAN EN LA CREACIÓN DE DECORADOS PARA PELÍCULAS Y ANIMACIONES HECHAS POR COMPUTADORA. EL EJEMPLO MOSTRADO ES RELATIVAMENTE COMPLEJO, PERO EL MÉTODO PROBABLEMENTE ES MÁS SENCILLO QUE DIBUJAR EN PERSPECTIVA.

El diseñador de decorados empieza realizando un plano del escenario visto desde arriba que muestra la disposición de las paredes y otros detalles importantes. Tras finalizarlo, el dibujante realiza un dibujo "axonométrico". Es un método interesante para crear un dibujo en escala de un edificio que tenga cierta cualidad tridimensional, pero que no implique dibujar en perspectiva. No se emplea el escorzo, y además es un método muy simple. Lo emplean los diseñadores porque permite tomar medidas exactas de cualquier lugar del dibujo cuando vayan a construir el decorado.

3 El diseñador realizó un dibujo axonométrico girando el plano unos 45 grados y calcándolo con una caja de luz. Después deslizó hacia abajo el dibujo original y volvió a calcarlo. Así se consigue un dibujo de los muros a nivel del suelo y otro a nivel del techo en el mismo papel. Es muy importante que el plano del techo se calque por encima del suelo para que todos los montantes queden en vertical (es decir, un ángulo de 90 grados respecto a la parte inferior de la página y paralelo a los lados). Todas las paredes y columnas se construyen con líneas verticales paralelas. En esta imagen, se muestra en azul las columnas y los muros.

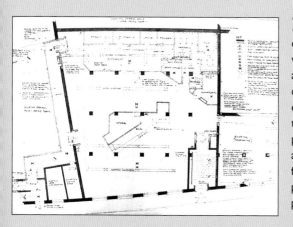

1 Este plano arquitectónico de Paul Duncan muestra una vista del decorado desde arriba. En este caso, se iba a construir en un almacén y el diseñador tuvo que tener en cuenta catorce pilares de hormigón, que aparecen en la imagen en forma de cuadrados. Las puertas y ventanas se indican por los huecos de las paredes.

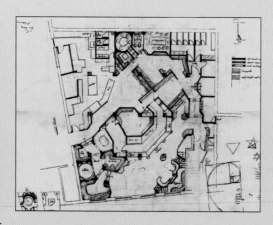

2 El diseñador añadió después las paredes del plano del arquitecto. El decorado en cuestión iba a ser un bar con aspecto laberíntico, con muchos lugares ocultos y cubículos. El diseñador dispuso todos los elementos en un patrón espiral. Para que resultara convincente, se añadieron una cocina y baños.

4 El siguiente paso es añadir puertas, ventanas, sillas y otros elementos como pasadizos abovedados. El resultado final permite a los constructores medir cualquier elemento del dibujo y construirlo en la vida real. En ese momento, es muy importante consultar el plano original con una inclinación de 45 grados, porque el dibujo final puede resultar confuso si muchas líneas quedan ocultas o interfieren entre sí. Puedes calcarlo con una inclinación diferente si hace falta.

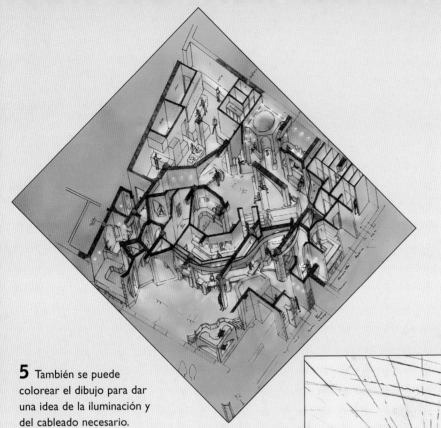

6 Realiza otras proyecciones axonométricas desde ángulos diferentes y con varios tamaños para mejorar y desarrollar los detalles del decorado.

5 También se puede colorear el dibujo para dar una idea de la iluminación y del cableado necesario.

7 Después de que aprueben los planos y los diseños axonométricos, puedes crear dibujos en perspectiva. Se hicieron fotografías del almacén con una cámara panorámica y luego se calcaron.

8 El diseñador visualiza de forma muy precisa los elementos del interior del decorado con el dibujo axonométrico ya que le puede servir para colorear y situar las luces.

coloreado, entintado y

arte digital

HAY GRAN CANTIDAD DE MEDIOS
DISPONIBLES PARA CONVERTIR LOS
BOCETOS A LÁPIZ EN DIBUJOS
ACABADOS, COMO LA TINTA, LOS ROTULADORES, LAS
ACUARELAS, LOS ÓLEOS Y LOS ACRÍLICOS. EN ESTE CAPÍTULO TAMBIÉN SE TRATAN
LOS MEDIOS DIGITALES, DESDE LOS MODOS DE COLOREAR, AJUSTAR Y COMPONER
LOS DIBUJOS HASTA LA CREACIÓN DE TRABAJOS DIGITALES QUE PARTEN DE CERO.
TODOS LOS TEMAS TRATADOS EN ESTE CAPÍTULO NECESITARÍAN VARIOS LIBROS PARA
DESARROLLARLOS DE FORMA EXHAUSTIVA, Y POR ELLO HE DECIDIDO DAR UNA IDEA
GENERAL QUE TE AYUDARÁ A DECIDIR EN QUÉ ÁREAS DESEAS ESPECIALIZARTE.

COLOREAR Y ENTINTAR utensilios

AUNQUE LOS ÚLTIMOS AVANCES TECNOLÓGICOS PERMITEN REPRODUCIR TÉCNICAS TRADICIONALES DE COLOREADO Y ENTINTADO DIGITALMENTE, LA MAYOR PARTE DE LOS DIBUJANTES DOMINAN TAMBIÉN LOS MÉTODOS DE TODA LA VIDA.

La cantidad de utensilios que necesitas para entintar es bastante específica, pero la de materiales para colorear es enorme. En las tiendas de manualidades se encuentra un verdadero cuerno de la abundancia de este tipo de objetos, y a veces elegir resulta difícil. En vez de dejarte llevar y comprar todo de una vez, es mejor que elijas una selección pequeña de los que te gusten para experimentar. Ya decidirás si quieres gastarte más dinero en ellos. Por ejemplo, empieza con unos tubos pequeños de óleos y un par de pinceles baratos antes de comprar una gama amplísima de colores y productos de primera.

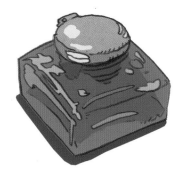

ENTINTADO

TINTA NEGRA
Las plumas estilográficas son muy útiles porque llevan cartucho y no hace falta empaparlas. Existen plumas "caligráficas" y "de manuscrito" con tamaños diversos de plumines planos que proporcionan grosores diferentes en un mismo trazo.

TINTA NEGRA
Hay muchas marcas diferentes de tinta negra y tinta china en el mercado. Elige siempre las que sean resistentes al agua o permanentes.

ROTULADOR BLANCO
Los rotuladores blancos como el que se ve aquí se emplean para añadir brillos en dibujos hechos con rotulador.

PLUMA DE GANSO
Este tipo de plumas son las antiguas, las que había que empapar de tinta, y son las que más emplean los entintadores de cómic. La técnica no es fácil de aprender, pero una vez la hayas dominado, este tipo de pluma te resultará muy fiable. El modelo Hunt 102 es el estándar, pero puedes probar con el 107 y el 512 para líneas más planas y gruesas, respectivamente.

PORTAMINAS
Hay una gran variedad de tamaños de minas, y además conseguirás líneas consistentes sin variaciones de grosor. Puedes empezar con minas del .01, .05 y .09. Muchos dibujantes emplean minas de colores, por ejemplo marrón, y después colorean sobre ellas o las difuminan con la pintura.

PINCEL
Hay infinidad de pinceles. Los de cerda de marta son muy mullidos y son ideales para dibujar líneas y, aunque caros, a largo plazo los amortizarás. Muchos dibujantes recomiendan los siete pinceles de la línea Winsor y Newton, en especial los 2, 3 y 4.

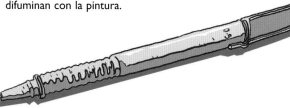

PINTURAS

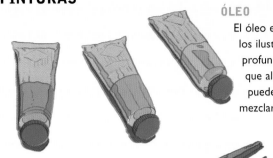

ÓLEO

El óleo es el medio más empleado por los ilustradores de fantasía. Tienen más profundidad y les cuesta secarse más que al resto, por lo que el dibujante puede jugar con los colores y mezclarlos mejor en el lienzo.

CORRECTOR

Necesitaras corrector permanente para tapar la tinta negra. Los normales, como los de la marca Liquid Paper, no funcionan sobre tinta china.

PINCELES

Hay una diversidad muy amplia de pinceles entre los que elegir. Empieza con unos baratos para practicar y averigua cuáles son los que mejor te vienen. Después cómprate unos buenos que te durarán más tiempo y con los que conseguirás mejores líneas.

PINTURAS

Los rotuladores de fieltro se emplean junto con los portaminas. Son los más utilizados en publicidad y en la industria cinematográfica, y aquellos dibujantes que deseen trabajar en este campo deberían incluir trabajos a rotulador en sus portafolios. Hay una gama de colores muy amplia, aunque son caros. Sólo se pueden utiliza en papel vegetal, que también es caro. Además, son muy difíciles de usar y no responden tan bien como un lápiz o un pincel. ¿Para qué emplearlos entonces? La razón es que son, de lejos, la forma más efectiva de realizar bocetos rápidamente, y con un poco de práctica se pueden conseguir diseños impactantes mucho más deprisa que con cualquier otro medio. Además se pueden rellenar. Empieza con tres o cuatro, con una gama de gris oscuro, medio y claro, o con un color neutro como el azul.

DILUYENTES Y BARNICES

Los diluyentes se mezclan con pintura para mejorar su textura y ralentizar el secado. Se emplean para aumentar la transparencia de los colores en difuminados y en otras técnicas que requieran pintar encima de otro color.

ACUARELAS

La acuarela es una de las técnicas más difíciles de utilizar porque se seca muy rápido y se extiende por el papel, pero su uso depende de lo que quieras conseguir. Son muy útiles para bocetos rápidos y para crear efectos de difuminado interesantes.

ACRÍLICOS Y *GOUACHE*

Los acrílicos y el *gouache* son más baratos que los óleos y se secan más rápido, por lo que son un medio excelente para practicar y tomar confianza.

TINTAS DE COLORES

Se emplean para cubrir áreas extensas de un color plano y para crear difuminados sutiles. Muchos dibujantes las compaginan con otras técnicas, como las pinturas normales o lápices, para crear efectos diversos. Lo mejor que tienen es que el color es fuerte y consistente, aunque hoy en día es preferible utilizar *Photoshop*, *Paint*, *Illustrator* o *Flash* para realizar estos efectos.

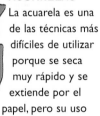

OTROS MATERIALES

Los dibujantes de fantasía emplean materiales muy diferentes, como pasteles, lápices de colores, lápices Conté o carboncillo para crear efectos diversos. Según vayas progresando, prueba con materiales nuevos y quédate con aquéllos con los que trabajes mejor.

COLOREAR Y ENTINTAR entintado

SE PUEDE ENTINTAR CON PLUMA O CON PINCEL. PROBABLEMENTE, EL PINCEL ES LA HERRAMIENTA ARTÍSTICA QUE MEJOR RESPONDE DE TODAS. TAMBIÉN ES LA MÁS ANTIGUA, SI OBVIAMOS PINTAR CON LOS DEDOS, TÉCNICA QUE HA PERDIDO POPULARIDAD DESDE SU APOGEO EN LA PREHISTORIA.

El pincel sigue siendo una herramienta muy empleada por la variedad de marcas que se consiguen con un solo trazo, lo que permite trabajar de forma rápida y con matices expresivos. A veces se necesita mucha práctica hasta dominarlo. A los principiantes les resultará difícil trazar dos líneas iguales, lo que crea problemas a la hora de desarrollar un estilo consistente. Pero sólo es cuestión de práctica. Mientras, puedes probar a trabajar con plumas, que son más caras, pero igualmente expresivas. Su característica más interesante es la consistencia de las líneas.

TÉCNICAS CON PLUMA

La pluma se emplea normalmente para crear zonas con tramas en imágenes en blanco y negro. Las áreas con trama de rejilla cruzada se crean a partir de capas de líneas que van en direcciones diferentes y crean gradientes. Las líneas también se emplean para crear texturas varias y superficies táctiles, desde pieles hasta rocas.

TRAMA

REJILLA CRUZADA

TEXTURA

TÉCNICAS CON PINCEL

Aprender a mantener trazos consistentes requiere tiempo, porque con la cantidad de líneas que puede crear un pincel con un solo trazo hace que sea difícil conseguir dos iguales. Pero el esfuerzo por aprender vale la pena, porque los pinceles dan una gran libertad expresiva.

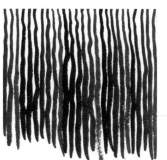

ESTILOS DE ENTINTADO

En estas imágenes se muestra la forma en que cambia un mismo dibujo a lápiz dependiendo de la técnica de entintado.

ROTULADOR DE TINTA LÍQUIDA

Estos rotuladores crean líneas limpias y consistentes que permiten desarrollar un estilo propio de forma rápida. Es muy fácil aplicar tramas, pero no consigue las líneas expresivas de las plumas y los pinceles.

PLUMA ESTILOGRÁFICA O DE GANSO

Con estas plumas se puede conseguir una gran variedad de líneas, pero aun así son consistentes. Se encuentran a mitad de camino entre los rotuladores de tinta líquida y los pinceles.

PINCEL

Para conseguir un estilo propio con el pincel se requiere tiempo, pero es el instrumento más flexible de todos. Con un pincel es más fácil reproducir las tonalidades y la profundidad del dibujo a lápiz y permite emplear sombras profundas. También es el utensilio más rápido, pues permite conseguir gran cantidad de efectos diferentes sin tener que cambiar de equipamiento.

En estos dos dibujos se han empleado varios efectos de entintado, como el uso del blanco para resaltar detalles en tinta negra para crear efectos lumínicos interesantes. *"La luna del nigromante"* (izquierda) y *"El ángel de la muerte"* (arriba), Anthony S. Waters

UN CONSEJO ESPECIAL

■ *Las gliptotecas son un lugar excelente para aprender a dibujar sombras, ya que las esculturas están muy bien iluminadas. Visita museos y galerías para estudiarlas.*

■ *Empieza a trabajar con pluma y después pasa al pincel. Si aprendes a apreciar la forma en que la luz incide sobre una superficie y crea sombras, mejorarás sin duda tu destreza.*

SOMBRA

Estos dibujos muestra cómo afecta la fuente de luz y las sombras a la misma imagen y pueden cambiar la apariencia de la misma. Para resaltar la dirección de la luz, la iluminación es fuerte y apenas se han usado tramas.

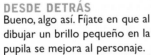

DESDE LA IZQUIERDA
La sombra de la parte izquierda es muy densa.

DESDE LA DERECHA
Los dos ojos están ensombrecidos.

DESDE DETRÁS
Bueno, algo así. Fíjate en que al dibujar un brillo pequeño en la pupila se mejora al personaje.

DESDE ABAJO
Las zonas de la cara que miren hacia arriba deben estar sombreadas.

DESDE ARRIBA
Las zonas encaradas hacia abajo proyectan sombras largas.

COLOREAR Y ENTINTAR figura con rotulador

LOS DISEÑOS CON ROTULADOR SE EMPLEAN CON FRECUENCIA EN LA INDUSTRIA CINEMATOGRÁFICA Y PUBLICITARIA, Y SON UN ELEMENTO ESENCIAL PARA CUALQUIER DISEÑADOR QUE TRABAJE EN ESTOS CAMPOS. LOS ROTULADORES SE EMPLEAN PARA CREAR PERSONAJES, TRAJES O DECORADOS A GRAN VELOCIDAD, Y ADEMÁS PERMITEN CREAR VARIACIONES SOBRE UN MISMO TEMA DE FORMA RÁPIDA.

El dibujo original normalmente es un boceto a lápiz que se calca sobre una caja de luz en papel vegetal. Los trabajos a rotulador casi siempre se realizan en grises u otros colores neutros. Para añadir más colores, se puede tratar la imagen con *Photoshop* o volver a calcarla con diferentes esquemas de color. El dibujante empieza con tonos más claros y después sombrea. Las líneas negras se dibujan con un rotulador de tinta líquida al final. En el ejemplo siguiente, las líneas negras se dibujaron en una hoja aparte y se superpusieron con *Photoshop*. No es necesario realizarlo de este modo, pero así los colores se pueden ajustar de forma separada.

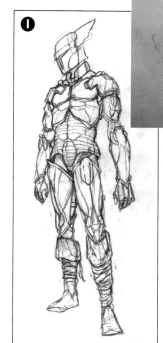

❶

1 Realiza un boceto a lápiz sobre papel. En esta etapa deberías realizar todo el diseño, y en este caso en particular, jugar con detalles diferentes para la armadura y el yelmo.

❷

2 Coloca el boceto sobre una caja de luz y cálcalo en un papel vegetal con un rotulador claro. Colorea la forma principal y deja espacios en blanco para los brillos, que son muy importantes, pues dan profundidad a la imagen definitiva.

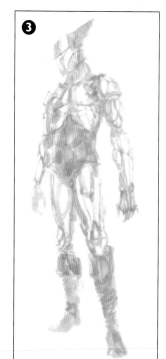

❸

3 Repasa la imagen con un tono más oscuro del mismo color para sombrear. Hazlo de forma suelta y rápida.

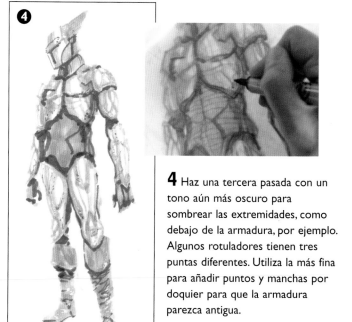

❹

4 Haz una tercera pasada con un tono aún más oscuro para sombrear las extremidades, como debajo de la armadura, por ejemplo. Algunos rotuladores tienen tres puntas diferentes. Utiliza la más fina para añadir puntos y manchas por doquier para que la armadura parezca antigua.

5 Añade brillos con un rotulador blanco. En este primer plano se ve que el detalle es un poco crudo, pero el efecto general es muy consistente.

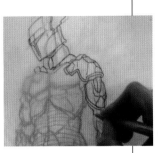

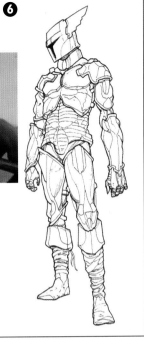

6 Usa un rotulador de tinta líquida de punta fina para repasar las líneas originales. No añadas sombras ni detalles innecesarios. Emplea un rotulador de punta más gruesa para repasar el contorno y las partes principales de la armadura. De este modo, reforzarás la imagen.

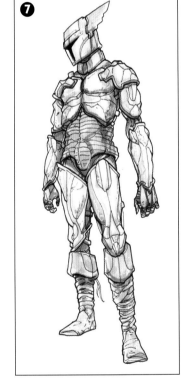

7 En el dibujo final se ve el resultado del trabajo con rotulador, que antes parecía suelto pero se cohesiona con la otra imagen. De este modo, el diseño resulta hermético y dinámico.

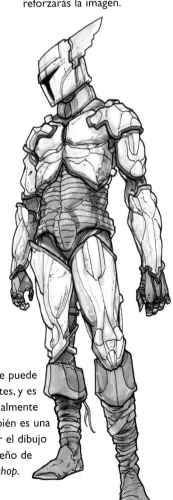

8 El diseño original se puede reutilizar con colores diferentes, y es algo a lo que se recurre habitualmente en el diseño de películas. También es una forma rápida de modificar el dibujo original. En este caso, el diseño de colores se modificó con *Photoshop*.

TÉCNICAS CON ROTULADOR

TAMAÑOS DE PUNTA

Algunos rotuladores tienen tres tamaños de punta, y así el dibujante tiene más control sobre el trabajo.

BRILLOS

Este detalle se realizó con tres puntas diferentes. Los brillos se añadieron con corrector más tarde.

SUPERPOSICIÓN DE TONOS

Los colores del rotulador se pueden superponer, pero sólo durante la aplicación. Existe un rotulador especial para hacerlo, pero el efecto apenas se nota. El truco consiste en emplear colores del mismo rango tonal. No emplees colores que contrasten.

COLOREAR Y ENTINTAR decorados con rotulador

LAS TÉCNICAS EMPLEADAS PARA CREAR DISEÑOS DE FORMA RÁPIDA ES
PARECIDA A LA UTILIZADA PARA DISEÑAR CUERPOS. EL DIBUJANTE PUEDE
EMPLEAR TINTA Y PINTURA BLANCA PARA POTENCIAR EL IMPACTO VISUAL.

Los rotuladores son el método más rápido para crear un dibujo con profundidad e
iluminación. En los ejemplos expuestos se ve que el dibujo a lápiz no es más que un
mero boceto, pero el realizado a rotulador nos permite imaginarnos la apariencia
que tendría en pantalla. Éste es un factor esencial en el
diseño de películas y videojuegos, en el que el equipo
de producción necesita docenas de imágenes como
éstas antes de decidirse por un diseño que en último
término se construirá en la vida real.

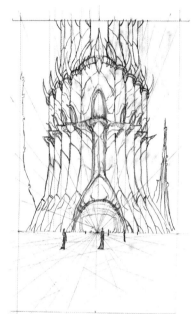

1 Dibuja un boceto a lápiz.
En esta etapa se organiza
la imagen y se toman las
decisiones referentes al diseño.
Procura no olvidarte de nada.
En este caso, las líneas de
perspectiva no se han borrado
para que sirvan de guía durante
el resto del proceso.

2 Coloca el boceto sobre una
caja de luz, superpón una hoja
de papel vegetal y emplea el
primer rotulador de color.
Fíjate en que se ha cubierto
toda la superficie salvo el
primer plano helado. Se dejan
partes en blanco para los
brillos, pero muchas se
cubrirán más tarde. Elije el
ángulo del que provendrá la
luz. En este caso, la zona más
clara es la de la izquierda.

UN CONSEJO ESPECIAL

■ *Si no estás familiarizado con los métodos de visualización rápida mostrados en estas
páginas, echa un vistazo a los libros de "Cómo se hizo" de películas como la saga de Star
Wars o El Señor de los Anillos, en los que encontrarás ejemplos excelentes.*

■ *El trabajo con rotulador es más gratificante para los que están más interesados en el diseño
que en la ilustración. Empléalo para crear fondos para tus personajes de fantasía antes de
elegir el que quieras y desarrollarlo más.*

Para crear la tonalidad y las sombras de esta
ciudad empleé tres tonos de rotulador. Los
brillos metálicos de los edificios los realicé
dejando trozos en blanco con unos pocos
puntos blancos añadidos con rotulador.
"Boceto de ciudad", Finlay Cowan

Este boceto para un decorado
de ciencia ficción se compone
de formas orgánicas. Utilicé
tinta negra para los contornos
y algunos detalles, pero la
textura de la superficie la
realicé con rotuladores.
"Casa tanque", Finlay Cowan

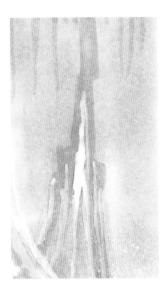

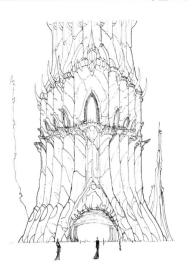

3 Añade una capa de color más oscura. Utiliza los tonos oscuros con más detalle que la primera capa y trabaja más las esquinas. Agrega más brillos con pintura blanca, así como un contorno blanco más grueso para el edificio.

4 Añade más efectos en blanco a las torres lejanas y a los reflejos del edificio en primer plano. Utiliza rotuladores para dibujar las figuras que aparecen más cerca.

5 Emplea efectos de niebla o escarcha para suavizar algunas zonas de la imagen. Puedes hacer que gotee pintura blanca con un cepillo de dientes o aplicándola con una esponja pequeña.

6 En este caso, los contornos con rotulador se realizaron en una capa separada, aunque no es necesario. Al calcar las líneas originales a lápiz y la capa de color al mismo tiempo, podrás realizar ligeras modificaciones y añadidos al dibujo final que resultarán útiles en la etapa del color y el sombreado. Aun así, ten cuidado de no alejarte demasiado del original.

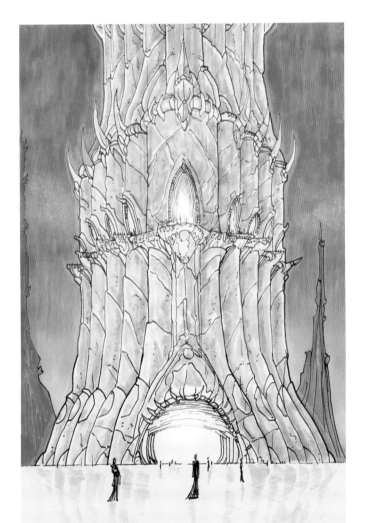

7 La imagen final se compuso con *Photoshop* y se realizaron diversos retoques digitales, como oscurecer el fondo, la inclusión de brillos y el coloreado de las líneas.

8 En esta imagen se cambiaron los tonos turquesa por marrones con *Photoshop*. A partir del mismo dibujo con rotulador puedes crear diferentes variaciones de color.

COLOREAR Y ENTINTAR acuarelas

LAS ACUARELAS SON IDEALES PARA REALIZAR BOCETOS RÁPIDOS Y CREAR SUPERPOSICIONES DE COLORES, AUNQUE SON IMPREDECIBLES Y DIFÍCILES DE CONTROLAR. LOS PIGMENTOS TIENEN UN BRILLO Y TRANSPARENCIA QUE HACE QUE VALGA LA PENA EXPLORAR ESTE MATERIAL.

DEGRADADO

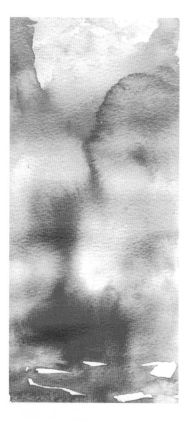

1 Este efecto se consigue humedeciendo la superficie con agua generosamente y aplicando trazos de color con el pincel bien cargado. Los colores se diluyen y son difíciles de controlar, pero el resultado es impresionante.

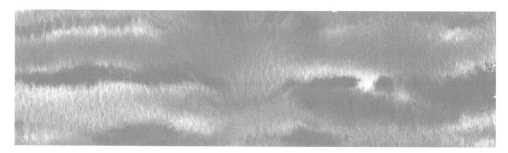

2 Si dibujas con pincel al mismo tiempo que empleas estas técnicas, conseguirás efectos visuales y diseños interesantes, como de fuego, humo o fondos abstractos.

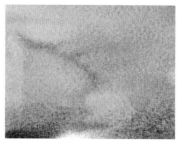

SUPERPOSICIÓN SUAVE

Colorea con un solo color, por ejemplo amarillo, con trazos regulares. Deja que se seque un poco y después pinta encima con otro color. Las acuarelas son traslúcidas y dejan que el primer color se vea a través del segundo.

SUPERPOSICIÓN FUERTE

Añade más colores mientras los iniciales aún estén húmedos. De este modo, se mezclarán y seguirás controlándolos.

PUNTEADO

Colorea con un único color, como el púrpura, por ejemplo. Deja que se seque un poco y después puntea la superficie con un pincel seco. Este método rompe los pinceles muy rápido, así que usa uno barato.

ESTAMPADO

Pinta con un color, por ejemplo amarillo. Cuando esté seco del todo, pinta con un segundo color. Mientras esté húmedo da toquecitos con un paño. Prueba con otros materiales, como esponjas u hojas, para probar efectos distintos.

Las acuarelas son un método rápido para trabajar. Coloqué el dibujo original de esta imagen en una caja de luz, y a partir de él hice varios bocetos de acuarela rápidamente para una serie de postales navideñas. *"Postal navideña"*, Finlay Cowan

UN CONSEJO ESPECIAL

■ *Realiza algunas muestras para practicar los degradados y la superposición de acuarelas.*

■ *Emplea después las técnicas con un boceto tuyo y prueba con diferentes colores para la misma imagen. Fíjate en cómo las técnicas y colores diferentes pueden cambiar el aspecto de la imagen definitiva.*

Utilicé acuarelas para crear diferentes interpretaciones de esta imagen, que es un logotipo del músico angloindio Talvin Singh. *"Logo de Talvin Singh"*, Finlay Cowan

PRUEBAS DE COLOR

Las acuarelas son un medio excelente para realizar pruebas de color rápidas que pueden ser decisivas en el resultado de la imagen final. Estas pruebas se realizaron como acuarelas pequeñas. Calqué las líneas a lápiz para los dos, para mejorar así los elementos gráficos.

EXPERIMENTACIÓN TÉCNICA

Con este boceto a color me planteé la forma de plasmar la transparencia del velo. Reemplacé el violeta pálido de la primera prueba por un rojo primario. Además, la expresión de la figura estaba más definida y mejoró el aspecto de la imagen.

PALETA DE COLORES

Es conveniente realizar varias versiones de una misma imagen. La versión final supuso una gran mejora. Reduje la gama de colores y se me ocurrió una buena idea para las mezclas tonales y los gradientes.

RANGO TONAL

El fondo con dos tonos mejoraba la profundidad de la imagen, pero el fondo difuminado creaba un efecto menos gráfico.

COLOREAR Y ENTINTAR óleos y acrílicos

SE PODRÍA LLENAR UN LIBRO ENTERO SIMPLEMENTE CON LOS ASPECTOS FUNDAMENTALES DE LOS ÓLEOS Y ACRÍLICOS, Y POR ELLO HE DECIDIDO MOSTRAR SÓLO ALGUNAS DE LAS TÉCNICAS MÁS UTILIZADAS EN EL GÉNERO FANTÁSTICO. TAMPOCO HE DISTINGUIDO DEMASIADO ENTRE EL USO DE UNOS Y OTROS, POR LO QUE LAS TÉCNICAS AQUÍ EXPLICADAS SE PUEDEN UTILIZAR CON AMBOS MATERIALES.

Antes de colorear, tendrás que mezclar los colores que elijas. Cada uno afecta al resto de formas diferentes. Aprender a combinarlos es cuestión de probar y equivocarse. Para empezar, mezcla cantidades pequeñas y ve aumentándolas poco a poco para no gastar demasiado. Lo mejor es no poner más de tres colores por mezcla, para que no parezca barro, que es un problema con el que te encontrarás seguro, a menos que te especialices en realizar campos de batalla.

TABLAS DE COLORES

Los tres colores primarios son el rojo, el amarillo y el azul, pero también hay primarios cálidos y primarios fríos. Se pueden mezclar los primarios adyacentes para crear secundarios como el naranja, el verde o el violeta. Cada color primario y su secundario opuesto se llaman complementarios y crean un resultado muy interesante al mezclarse. Los colores que hay en el centro de cada tabla son el resultado de mezclar los tres primarios.

azul ultramarino
azul marino
colores secundarios
PRIMARIOS CÁLIDOS
rojo cadmio
carmesí alizarina
amarillo limón
amarillo cadmio
PRIMARIOS FRÍOS

SOPORTES

Se puede elegir entre lienzo, contrachapado y cartón grueso. Si un lienzo en blanco te cohíbe, aplica una capa de color sobre la que dibujar el resto.

GRADACIONES

1 Para crear una gradación sutil apenas perceptible, prepara una mezcla para cada color. Aplica los colores cerca con pinceles separados, para que no se mezclen los colores.

2 Mientras la pintura siga húmeda, mezcla los colores con un pincel de cerda y después utiliza un pincel de abanico en la zona en la que se mezclen los colores.

1 Para un fondo consistente, emplea colores transparentes como el ocre, siena crudo o tostado o gris neutro. Emplea después el mismo color para crear zonas oscuras o claras en la imagen.

2 Para crear un fondo con textura emplea un tono más oscuro que el que has elegido. Diluye el óleo con aguarrás y los acrílicos con agua. Aplica el color y después retira un poco con un paño mientras esté húmedo.

CONTORNOS DEFINIDOS

Para conseguir contornos definidos, lo mejor es pintar sobre un fondo ya seco.

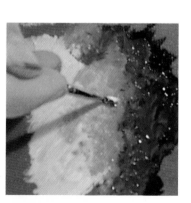

CONTORNOS INDEFINIDOS

Para realizar estos contornos, que se encuentran por ejemplo en nubes, se aplica el segundo color mientras el primero siga húmedo y se mezclan después en el borde. Esto mismo también se puede realizar para conseguir el efecto volumen.

Los fundidos, texturas, nubes, follaje y ropas tienen mucha fuerza en esta imagen surrealista para la portada de un libro de fantasía. *"Fletcher", David W. Luebbert*

UN CONSEJO ESPECIAL

■ *Es mejor que pruebes algunas de las técnicas descritas aquí antes de colorear una imagen.*
■ *También puedes crear un diseño sencillo en el que emplees una o dos de las técnicas mostradas aquí para aprender a utilizarlas.*

Para integrar las nubes, el paisaje y los elementos arquitectónicos se han empleado mezclas sutiles de color y textura. *"Los gigantes", Christophe Vacher*

ACLARAR UN COLOR

Si la pintura sigue húmeda, puedes aclarar el color con un trapo. Si está seca, ráspala con una espátula, y así obtendrás texturas interesantes como la de la imagen. También puedes añadir un color más claro encima.

EFECTO VOLUMEN

Esta técnica consiste en añadir sobre el color original otro color para crear profundidad u otra textura. Sobre una capa de color ya seca, añade el nuevo con un pincel casi seco. También lo puedes hacer con una esponja o trapo para conseguir otras texturas. Si los colores pierden fuerza al añadir más pintura al lienzo, añade otro encima, por ejemplo un complementario (amarillo sobre verde, por ejemplo).

MARCAS DE PINCEL

Estas marcas se crean con un pincel de cerda seco. Si mezclas aceite de linaza con la pintura, se mantendrá mejor la forma. Esta técnica no es muy común entre los dibujantes de fantasía, que normalmente prefieren una apariencia más suave y realista. Para que no aparezcan marcas de pincel en la superficie, se mezcla un diluyente con la pintura y se aplica con pinceles de cerda de marta blandos.

EFECTO ESCARCHA

Esta técnica, muy útil para crear profundidad en una imagen, consiste en emplear una capa de color traslúcido para ver los colores que hay debajo. Es muy recomendable para representar metales, agua y cristal. Utiliza un pincel blando.

EXCESO DE PINTURA

Puede que algunas zonas tengan demasiada pintura. Para quitar parte de la misma, emplea un papel absorbente, por ejemplo de periódico. Presiona el papel contra la superficie, y cuando lo quites se llevará parte de la pintura. Repite el proceso hasta que estés contento con la cantidad que has quitado.

COLOREAR Y ENTINTAR colorear un personaje

PARA LOS PRINCIPANTES ES MUY ÚTIL EMPLEAR UN DIBUJO CON MUCHO DETALLE A LA HORA DE COLOREAR CON ÓLEO O ACRÍLICO. PARA ESTE EJEMPLO, DIBUJÉ AL MAGO EN UNA IMAGEN INVERTIDA EN UNA HOJA APARTE, DESPUÉS LE DI LA VUELTA Y LO CALQUÉ SOBRE EL LIENZO.

En un primer momento, las pinceladas son sueltas, pero las tonalidades y texturas se van definiendo poco a poco en los retoques sucesivos. Este personaje está pintado solo, por lo que me tuve que imaginar qué efecto tendría el fondo sobre él. La fuente de luz proviene del bastón, que tiene un resultado muy importante en la imagen. Si se emplearon demasiados colores que contrastaran, como el morado del manto con piel rosada y paredes amarillas, el conjunto de la imagen desentonaría. Limita la gama de colores y emplea tonos similares para empezar. Más tarde, añade los colores complementarios para los detalles.

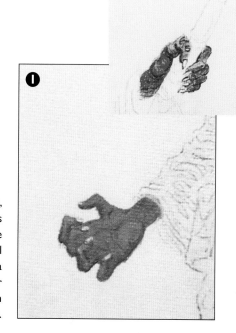

1 Para las zonas de carne, los pintores renacentistas empleaban como colores de fondo el verde, el azul y el morado. Colorea con una capa de rosa traslúcido por encima para conseguir un efecto brillante.

2 Las facciones curtidas del mago tendrán sombras bien definidas.

UN CONSEJO ESPECIAL

■ *Colorea áreas pequeñas de piel y ropa antes de intentarlo con un cuerpo entero. Prueba con colores complementarios y tonos traslúcidos para conseguir efectos realistas.*

■ *Cuando estés preparado para colorear un personaje entero, decide los colores que quieres emplear. Lo mejor es limitar la paleta al principio.*

Con un uso cuidado de las sombras y los brillos se consigue una representación casi fotográfica de las telas. *"Sueño eterno", Christophe Vacher*

3 Para que los pliegues de la ropa resulten convincentes empleé cinco tonos de azul. Mezcla todos los colores que necesites antes de empezar a trabajar.

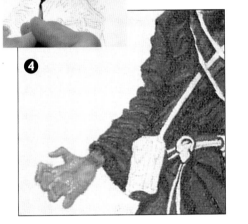

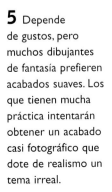

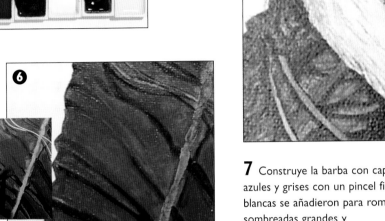

7 Construye la barba con capas sucesivas de azules y grises con un pincel fino. Las líneas blancas se añadieron para romper zonas sombreadas grandes y conseguir un contorno encrespado.

6 En una imagen con una fuente de luz potente y específica, se pueden emplear colores traslúcidos para crear una sombra homogénea por toda la imagen. Recuerda que los colores traslúcidos afectarán al que tengan debajo. Experimenta con colores complementarios. Por ejemplo, un azul marino traslúcido transformará al amarillo en verde. También son útiles para crear efectos lumínicos sobre el cielo o el mar.

4 Empieza con las zonas oscuras empleando pintura diluida, y después colorea los brillos con pintura sin diluir. El contraste entre un tono claro y uno oscuro sugiere un cambio repentino en la dirección de la tela, pero una transición gradual sugiere una superficie curvada.

5 Depende de gustos, pero muchos dibujantes de fantasía prefieren acabados suaves. Los que tienen mucha práctica intentarán obtener un acabado casi fotográfico que dote de realismo un tema irreal.

8 El dibujo era muy pequeño y lo pinté en una tabla barata, y por eso el grano de la superficie afectó a la textura de la imagen. Lo arreglé al tratar la imagen con *Photoshop*. Los granos visibles son más problemáticos cuando se pinta con acrílico que al óleo, porque al costarle más secarse puedes combinar los colores para crear texturas suaves y delicadas.

COLOREAR Y ENTINTAR colorear un paisaje

PARA LOS PRINCIPIANTES ES RECOMENDABLE EMPEZAR CON UN DIBUJO MUY DETALLADO, IGUAL QUE CON EL PERSONAJE DE LAS PÁGINAS 106 Y 107. AL GANAR EN EXPERIENCIA, SE NECESITAN APENAS UNAS POCAS LÍNEAS DE GUÍA. EN ESTE EJEMPLO, LAS LÍNEAS SE DIBUJARON DIRECTAMENTE SOBRE EL LIENZO.

2 Colorea el cielo con tres tonos similares de un mismo color. Aplícalos por separado con un pincel diferente, pero no los mezcles.

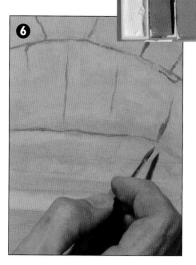

5 Crea neblinas con una esponja o un paño y añade profundidad. A menudo verás que las capas de tipos de nubes diferentes mejorarán la profundidad del cielo. Espera a que se seque una capa antes de empezar con la siguiente.

1 Algunos dibujantes emplean un color de fondo para crear una base tonal. Elige unos pocos colores neutros diluidos con aguarrás para los óleos y con agua para los acrílicos. Los colores de fondo son especialmente útiles para los paisajes, pues son una forma rápida de abocetar la imagen.

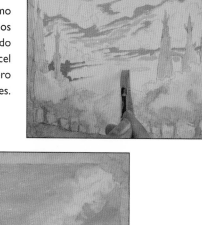

6 Para crear las piedras, emplea una paleta de cinco tonos. Empieza por los oscuros y acaba en los más claros. En esta fase hay mucho contraste cromático.

3 Mientras la pintura siga húmeda, pasa un pincel limpio entre las líneas divisorias para difuminar los colores. Repite el proceso con un pincel aún más fino para incrementar la sutileza del difuminado. También puedes hacerlo con un dedo.

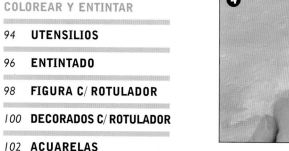

4 Colorea las nubes. Las zonas más claras no están en los bordes, a menos que la luz venga de detrás. El borde superior reflejará el cielo y el inferior el suelo. La zona más clara está en el centro.

7 Añade más capas de colores diluidos con agua o aguarrás para reforzar las zonas oscuras. Las líneas oscuras pronto se suavizan y se mezclan. Conseguirás más profundidad si aplicas un pincel seco, un paño o una esponja sobre la capa superior o la rascas con una espátula.

UN CONSEJO ESPECIAL

■ *Colorea elementos individuales antes de embarcarte en un paisaje completo. Prueba con nubes, follaje y rocas, por ejemplo.*
■ *Colorea un paisaje completo, pero mezcla la paleta entera antes de cada fase. El trabajo te resultará más fácil si te tomas tu tiempo para prepararlo todo.*

El follaje discreto de este idilio silvano se define más por la luz que por los detalles. Las capas sutiles de colores crean profundidad y forma a partir de la luz y el ambiente. *"La puerta"*, Christophe Vacher

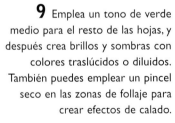

8 La vegetación quedará mejor si aplicas de fondo un marrón cálido o rojo. Es mejor colorear zonas de luz y sombra que árboles individuales. Utiliza trazos similares para la forma, pero en varias direcciones. Sombrea primero las zonas oscuras.

9 Emplea un tono de verde medio para el resto de las hojas, y después crea brillos y sombras con colores traslúcidos o diluidos. También puedes emplear un pincel seco en las zonas de follaje para crear efectos de calado.

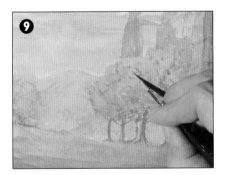

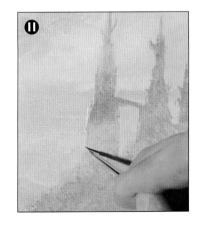

10 Utiliza colores traslúcidos para crear una sombra consistente y efectos lumínicos en el cielo y el agua.

11 Los contornos bien definidos, tan populares entre los dibujantes de fantasía, son muy difíciles de conseguir coloreando sobre pintura húmeda. Es mejor dejar que se sequen los bordes de los elementos principales y trabajar primero los elementos más oscuros. Al final añade reflejos con un pigmento más grueso.

12 Ajusté el color definitivo con *Photoshop*. Después incluí la figura del mago y la coloreé para que concordara con el fondo. Invertí la imagen del mago de derecha a izquierda y añadí efectos de luz y de humo digitalmente.

ARTE DIGITAL *hardware* y *software*

HASTA HACE POCO, EL MUNDO DEL ARTE DIGITAL ESTABA ENVUELTO EN MISTERIO. AFORTUNADAMENTE, ESTA SITUACIÓN HA CAMBIADO Y LOS PRINCIPIANTES PUEDEN SUBIRSE AL CARRO DE UNA NUEVA GENERACIÓN DE *HARDWARE* Y *SOFTWARE* FÁCIL DE UTILIZAR.

HARDWARE

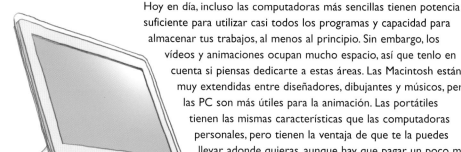

COMPUTADORA

Hoy en día, incluso las computadoras más sencillas tienen potencia suficiente para utilizar casi todos los programas y capacidad para almacenar tus trabajos, al menos al principio. Sin embargo, los vídeos y animaciones ocupan mucho espacio, así que tenlo en cuenta si piensas dedicarte a estas áreas. Las Macintosh están muy extendidas entre diseñadores, dibujantes y músicos, pero las PC son más útiles para la animación. Las portátiles tienen las mismas características que las computadoras personales, pero tienen la ventaja de que te la puedes llevar adonde quieras, aunque hay que pagar un poco más por este lujo y es más fácil que te la roben. Muchos diseñadores prefieren tener un monitor grande que se puede conectar a una computadora portátil si hace falta.

ESCÁNER

Es un elemento imprescindible para cualquier dibujante. Hay mucha gente que no dibuja que no los necesita en absoluto, pero como dibujante pronto sentirás la necesidad de introducir las imágenes en la computadora. Los modelos más baratos funcionan bien, así que no te preocupes por gastarte una fortuna.

El arte digital no tiene por qué ser reconocible como tal. A veces, los efectos sutiles resultan más sorprendentes. Para esta imagen, se mezclaron dos imágenes con *Photoshop* y se aplicaron varios filtros para conseguir una apariencia dura. Más tarde se añadió un destello con KPT6. *"Castillos", Bob Hobbs*

Luebbert emplea a menudo composiciones digitales como base para sus óleos, pero sus imágenes digitales utilizan la mayoría de las técnicas disponibles. Para esta imagen se emplearon *Bryce, Poser, PhotoPaint y Zbrush. "La reina de los leones", David W. Luebbert*

TABLILLA DIGITALIZADORA

Ni se te ocurra pensar en realizar imágenes digitales con un ratón normal. Es imprescindible que emplees una tablilla digitalizadora con un lápiz, que es una forma de dibujar mucho más natural que un ratón. Este dispositivo funciona muy bien. La almohadilla es sensible a la presión y permite crear diversos anchos de línea con un solo trazo. Además reduce el riesgo de lesiones por malas posturas.

IMPRESORA DE INYECCIÓN DE TINTA

Es muy cómodo enviar los trabajos a un CD, pero no hay nada como verlos en papel para apreciarlos bien. No hace falta que te compres una impresora láser a menos que realices docenas o cientos de copias. Para un portafolio normal con una impresora de inyección de tinta tendrás suficiente. Compra una de calidad media que tenga garantía.

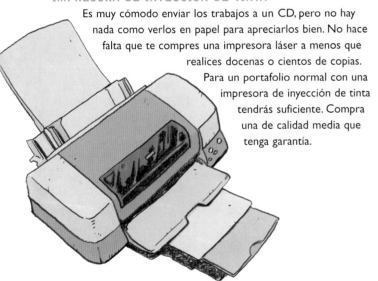

GRABADORA DE CD

Si te compras un ordenador nuevo, tendrás mucho espacio en el disco duro para almacenar tus trabajos, pero tienes que tener en cuenta que tu ordenador se podría estropear o te lo podrían robar. Las grabadoras de CD son muy útiles para hacer copias de seguridad que deberías guardar en un lugar alejado de la computadora. Los CD también son la forma más barata de difundir tus trabajos, pues las impresiones a color son caras.

SOFTWARE

PHOTOSHOP

Photoshop es un programa de tratamiento de imagen muy extendido en el mundo de la ilustración y la industria cinematográfica. Cualquier dibujante que quiera trabajar en estos campos debe saber utilizarlo. Al principio puede resultar un programa difícil de usar, pero cuando sepas qué quieres realizar lo aprenderás en un par de semanas. Hay cientos de herramientas y filtros disponibles que mejoran el programa, como diferentes tipos de pincel o efectos especiales. Además, tiene una opción especial llamada *Image Ready*, que es un programa para crear animaciones sencillas y preparar los trabajos para publicarlos en Internet.

PAINT

No es tan conocido como el *Photoshop*, pero resulta muy atractivo para los dibujantes con formación tradicional. El punto fuerte del programa es la cantidad de pigmentos, diluyentes y lienzos. El dibujante tiene un control absoluto sobre acuarelas, pinturas y tintas, así como gran cantidad de pinceles, espátulas y otras herramientas. Muchos pintores de éxito realizaron la transición al sistema digital con este programa y cumplió sus expectativas. Normalmente se emplea en conjunción con *Photoshop*.

ILLUSTRATOR Y FREEHAND

Estos programas son los más extendidos entre diseñadores gráficos y dibujantes de cómic. Se emplean para crear imágenes vectorizadas y son especialmente útiles para conseguir gráficos y rotulaciones impactantes.

FLASH

Flash es un programa creado para diseñar páginas web y también se basa en los vectores. Su estilo fresco se ha vuelto muy popular y muchos animadores e ilustradores lo emplean para difundir su obra.

PROGRAMAS DE ANIMACIÓN

Los programas de animación como *Maya* o *Lightwave* se emplean en la producción de películas animadas pero ocupan mucha memoria, son muy complicados y caros. Sin embargo, su popularidad ha provocado que aparezcan programas similares en el mercado, por lo que sus fabricantes han tenido que ofrecer versiones "educativas" a precios reducidos para los principiantes. Hay otros programas como *Poser* o *Vue d'Esprit*, que antes se consideraban para aficionados, pero que han entrado rápidamente en la contienda. A menudo aparecen versiones de prueba de estos programas en las revistas de computación, y representan una forma excelente de explorarlos antes de decidir cuál comprar.

ARTE DIGITAL *Photoshop*

ESTE PROGRAMA ES MUY APROPIADO PARA CREAR EFECTOS DE COLOR RÁPIDOS Y SIMPLES COMO LOS QUE APARECEN EN LOS CÓMICS. TAMBIÉN ES ÚTIL PARA RETOCAR LOS COLORES DE IMÁGENES ACABADAS Y PARA MEZCLAR VARIOS DIBUJOS EN UNA SOLA IMAGEN.

La composición se realiza mediante el empleo de capas transparentes en las que puedes colocar los dibujos por separado. Cada capa se puede colorear y modificar con efectos digitales por separado, por lo que tenemos mucho más control sobre la imagen. Es preferible guardar la imagen final en formato "psd" (documento de *Photoshop*), para que no pierda la información de las capas. Para imprimir, tendrás que crear una copia en formato "tiff", que funde todas las capas en una sola.

MAGO

1 Si la imagen que has escaneado tiene un contorno definido y sin fisuras, puedes seleccionar todos los elementos que la rodean con la "varita mágica". Después ve al menú "Selección" y presiona en "invertir" para seleccionar todo lo que haya dentro del contorno; es decir, el mago. También se pueden seleccionar zonas manualmente con la herramienta del "lazo", que se encuentra en el cuadro de herramientas, a la izquierda de la varita mágica.

2 Añade los colores en una capa aparte. La opción "capa nueva" está al final de la barra de capas.

3 Colorea la imagen con un solo color con la herramienta "cubo de pintura". Presiona en la opción "multiplicar" al principio de la barra de capas para que sea transparente. Así verás las líneas del dibujo a través de la capa de color.

4 Trabaja sobre el color plano con las herramientas "selección" y "varita mágica" en la capa original. Después ajusta los colores con el panel "Tono/Saturación" en la capa de color.

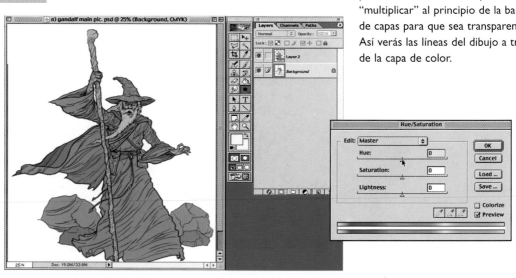

5 Ajusta los tonos con las herramientas "brillo" y "oscurecer". Hay pinceles de diversos tipos y tamaños para estas operaciones.

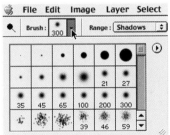

6 Con la herramienta "brillo" se crean zonas más claras en la tela y con "oscurecer" zonas de sombra. Son muy útiles para crear profundidad y los encargados del color de los cómics lo emplean a menudo.

GENIO

1 Traza un boceto con todos los elementos de la imagen para estudiar la composición. Dibuja o calca cada elemento en una hoja separada y escanéalos. En este ejemplo, los tres personajes estaban en capas diferentes de *Photoshop*. La cama y los muros están en otra capa, y la barca y las nubes en otra.

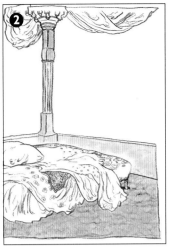

2 Colorea cada capa por separado con las mismas técnicas que para el mago. La cama y las paredes se trataron con *Paint*, con un efecto de acuarela. Después las guardé en formato tiff y las importé en *Photoshop*.

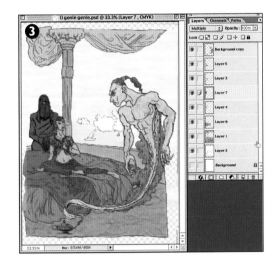

3 Guarda la imagen final como documento psd para no perder las capas, por si quieres cambiar algo en el futuro.

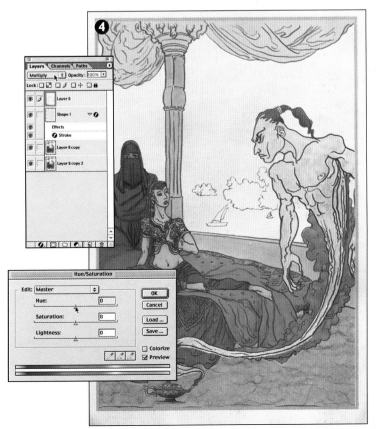

4 Esta imagen es un archivo tiff, que funde todas las capas en una sola. Después la abrí como una capa en Photoshop y la coloqué sobre un escaneado de un libro viejo. Modifiqué la tonalidad general de la imagen con el panel "Tono/Saturación" para crear una apariencia color sepia. La capa con la imagen del genio era traslúcida, gracias a la opción "multiplicar", y por eso la textura del libro se ve a través de él.

ARTE DIGITAL *Paint*

PAINTER ES UN PROGRAMA EMPLEADO PARA AÑADIR EFECTOS DIGITALES DE COLOR Y TINTA A LOS DIBUJOS. ES EL QUE SUELEN UTILIZAR LOS DIBUJANTES CON FORMACIÓN TRADICIONAL QUE QUIEREN PASARSE AL ARTE DIGITAL .

Los dos primeros días en cualquier medio nuevo son los peores. Después todo resulta más fácil, así que no desesperes al empezar a utilizar el programa. La verdad es que siempre estarás probando técnicas nuevas o mejorando las que ya conoces, y deberías verlo como un proceso positivo. Decidí colorear cada elemento de esta ilustración en un documento diferente de *Paint* y después mezclarlos con *Photoshop*.

1 Calca todos los elementos de la composición y escanéalos por separado. En esta imagen, por ejemplo, el personaje, los árboles, el cielo y el suelo se escanearon por separado.

2 Copia y pega la primera imagen -en este caso, el personaje- en una capa nueva de *Paint* para colorear por detrás de la misma. Selecciona "capa nueva" en el menú de "objetos.

3 Elige la superficie del papel en el menú "materiales" y el pincel en el menú "pinceles". Para ésta elegí un pincel para impasto. Ajusta el tamaño de la punta con la opción "control" del menú de pinceles.

VN CONSEJO ESPECIAL

■ *Paint ofrece gran cantidad de pinceles y efectos, así que pasa un tiempo probando algunos.*

■ *Cuando ya tengas tus pinceles y efectos preferidos, crea una imagen para utilizarlos.*

Con *Paint* se pueden conseguir efectos de acuarela bastante convincentes, como el fondo de esta imagen, por ejemplo. *"Hada", Finlay Cowan*

4 Elige un color de la rueda y aplícalo por debajo del dibujo original. El programa es sensible a la presión y la dirección del trazo. Elige un tono oscuro para las sombras.

5 Añade más colores al dibujo, cada uno en una capa separada, para corregir los errores sin tener que empezar desde el principio. Si coloreas sin querer encima del contorno lo puedes borrar más tarde.

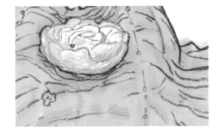

6 Guarda el dibujo final en formato tiff, con la capa de dibujo deshabilitada (luego la puedes habilitar en *Photoshop*).

7 Realiza el mismo proceso con los otros elementos. El cielo lo coloreé con un pincel de acuarela seco, que se empleó para crear texturas y colores. La textura de la Luna se realizó con lejía, borrador de tinta y salpicaduras de agua.

8 El resto del trabajo lo realicé con *Photoshop*. Tuve que recortar todas las capas del dibujo para que las posteriores fueran visibles. Lo realicé combinando la varita mágica y el lazo (ver página 112).

9 Introduce los archivos de *Paint* en el documento de *Photoshop*, cada uno en una capa separada. Cámbiales el tamaño con la función de "transformar", que está en el menú desplegable "Edición".

10 En esta fase, a la imagen le faltaba armonía y cohesión. Por eso modifiqué el tono y la saturación de cada color para armonizarlos. También empleé la herramienta "sello para clonar" para copiar zonas de color y para retocar los bordes y suavizar colores.

11 No estaba contento con la homogeneidad de la imagen, así que copié la capa de fondo, la extendí por toda la imagen con la función "transformar" y añadí una capa extra de textura para armonizar el conjunto.

12 Realiza los ajustes de color finales, como colorear las lineas de dibujo con el control de tono/saturación y añade brillos y sombras con las herramientas respectivas (ver páginas 112 y 113).

ARTE DIGITAL héroe en 3D

MUCHOS DIBUJANTES REALIZAN LA TRANSICIÓN AL ARTE DIGITAL CON PROGRAMAS DE DISEÑO EN 3D QUE CREAN IMÁGENES Y ANIMACIONES. ALGUNOS DE LOS MÁS BARATOS, COMO *POSER*, SON MUY POTENTES Y FÁCILES DE MANEJAR.

Poser se emplea principalmente para crear figuras en 3D que se pueden vestir y mover en cualquier posición. *Vue d'Esprit* es un programa que crea fondos y decorados y se puede emplear conjuntamente con Poser. No hace falta recordar que en el espacio disponible sólo podemos mostrar someramente cómo se crea una imagen. Los ejemplos que aparecen en estas páginas y en la 118 y 119 son obra de Nick Stone.

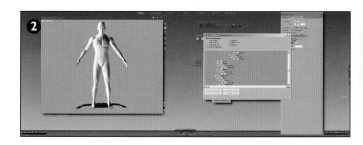

2 Elige la piel de entre los diferentes tipos disponibles.

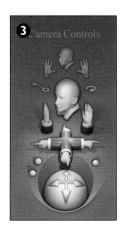

3 La mayoría de las herramientas de *Poser* son fáciles de utilizar. Esta paleta muestra los controles para colocar la figura. Cada elemento del cuerpo se mueve de forma individual.

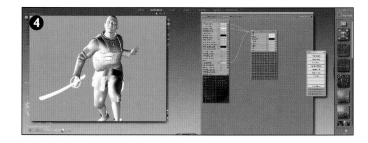

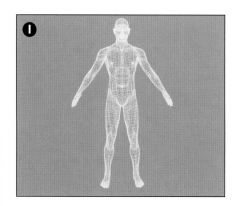

1 Empieza con un modelo de líneas de superficie de *Poser*, que posee huesos que actúan como un esqueleto humano normal. Además de emplear las figuras básicas del programa, puedes descargarte otros modelos adicionales de Internet.

4 Puedes añadir ropas diseñadas especialmente para el personaje. Las mostradas aquí se pueden descargar de forma gratuita de Internet. También puedes agregar accesorios, como esta espada.

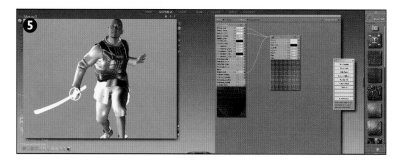

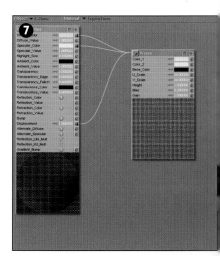

5 Céntrate en las texturas de la superficie. Elige el color de la piel y de las texturas de prendas y accesorios.

6 En esta paleta aparecen algunas de las superficies y tejidos que se pueden aplicar a los elementos de la figura. Hay una gran cantidad de opciones entre las que elegir.

7 Esta paleta muestra los controles disponibles para modificar la superficie seleccionada.

■ *Si te atrae la idea de trabajar en 3D, busca una versión de prueba del programa que desees utilizar. Estas versiones están limitadas, pero aparecen a menudo en las revistas de informática y se pueden descargar de Internet.*

■ *Aplica superficies y texturas diferentes a los modelos y colócalos en poses distintas.*

Se puede ajustar una cara humana incluida en el paquete básico de Poser y convertirla en el personaje que tengas en mente. *"Scherezade", Nick Stone y Finlay Cowan*

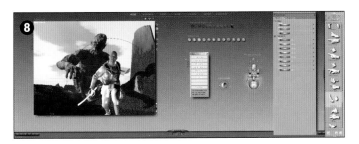

8 Para esta imagen se importó un fondo creado con *Vue d'Esprit*. Puedes ajustar la iluminación del personaje para que cuadre con la luz del fondo.

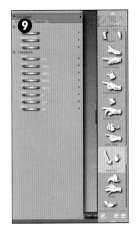

9 También puedes modificar la postura del personaje para que cuadre con el fondo. Este menú muestra los controles para las manos. A la derecha se ven las diversas posturas y a la izquierda los controles de las mismas.

10 Esta imagen es una especie de "copia de trabajo", porque todavía hay que renderizarla para terminarla. Dependiendo del tamaño y la complejidad de la imagen puede tardar bastante rato. Recuerda que siempre puedes volver sobre esta imagen y recolocar al personaje como quieras, y por eso el programa requiere tanta memoria y tarda tanto en renderizar la imagen. Cuando tengas que hacerlo, deja de trabajar, sal a la calle a que te dé el aire y deja que tu computadora haga el trabajo.

Esta imagen pertenece a una animación que retomaba historias de *Las mil y una noches* y las situaba en una ciudad moderna. *"Rashid", Nick Stone y Finlay Cowan*

ARTE DIGITAL ogro en 3D

AUNQUE HAY MUCHOS MODELOS POSER PARA ELEGIR, NO TARDARÁS MUCHO EN QUERER CONSTRUIR TUS PROPIOS PERSONAJES DE FANTASÍA. LO PUEDES CONSEGUIR TRANSFORMANDO LOS ELEMENTOS DEL MODELO BÁSICO EN LAS FORMAS QUE DESEES.

Poser es famoso por ser un programa intuitivo y que, por tanto, se explica por sí mismo. Sin embargo, incluso un jedi con grandes poderes psíquicos necesita a veces un manual. Todos los programas vienen con guías, tutoriales útiles y ayuda en línea.

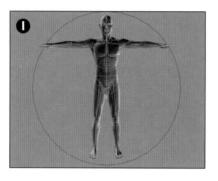

1 Aplica un modelo de piel a una figura de *Poser*.

2 Con la herramienta llamada "masilla" puedes cambiar la forma de la cabeza y otras partes corporales.

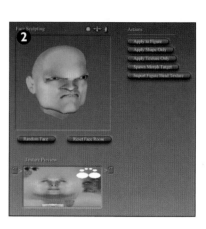

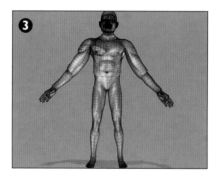

3 Modifica las proporciones corporales para la constitución física de ogro. En esta imagen, se han alargado los brazos e incrementado la musculatura del torso.

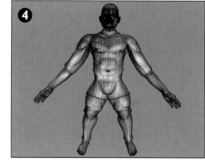

4 La musculatura de las piernas también es más fuerte, pero están acortadas para mostrar la distorsión anatómica de un ogro.

Para crear la piel brillante de la bailarina y resaltar su aura de misterio se emplearon efectos de partículas. *"Scherezade bailando", Nick Stone*

UN CONSEJO ESPECIAL

■ *Prueba con técnicas de transformación diferentes para crear dos o tres personajes. Empieza con el ogro de arriba y después diseña el tuyo propio.*

■ *Coloca a los ogros en posturas diferentes. Podrías mostrarlos listos para pelearse entre sí.*

Este plano de prueba de una serpiente de una secuencia animada se descargó de Internet y se animó sobre un fondo creado con *Photoshop*.

"Serpiente", Nick Stone

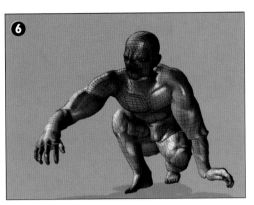

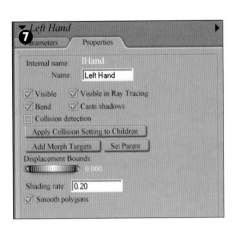

5 Hay muchas opciones disponibles incluso para los diseños de personajes más simples, así que almacena las características en subcarpetas. Así te será más fácil trabajar sin tener el escritorio lleno de iconos.

6 Cuando estés satisfecho con la figura, puedes elegir la postura de una librería. La postura se puede modificar igual que la constitución física.

7 El dibujante puede controlar todos los detalles del cuerpo. Este cuadro de diálogo muestra los controles de la mano izquierda.

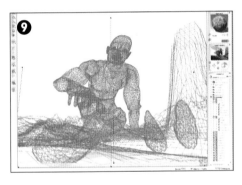

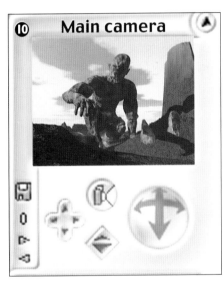

8 Una vez que estés satisfecho con el personaje, se puede exportar como objeto e incluirlo en un paisaje. En este caso, el fondo se creó con *Vue d'Esprit*, pero los ficheros de *Poser* son compatible con la mayor parte de los programas de animación y diseño.

9 El ogro, como objeto, se puede importar, colocar y cambiar de tamaño para ajustar al fondo.

10 La perspectiva del fondo y la figura se modifica con un control de cámara.

11 Se ha elegido este material para cubrir la figura del ogro. El programa la envolverá con este material y creará una imagen realista... si es que se puede llamar así.

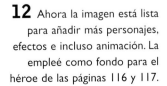

12 Ahora la imagen está lista para añadir más personajes, efectos e incluso animación. La empleé como fondo para el héroe de las páginas 116 y 117.

ARTE DIGITAL paisaje en 3D

MUCHOS ANIMADORES Y DISEÑADORES DE VIDEOJUEGOS EMPLEAN PROGRAMAS COMO *VUE D'ESPRIT* PARA DISEÑAR MODELOS. ESTE PROGRAMA ES UNA BUENA FORMA DE EMPEZAR ANTES DE PASAR A PROGRAMAS DE ANIMACIÓN MÁS COMPLEJOS COMO *MAYA*.

Vue d'Esprit está considerado como el programa de animación más fácil de utilizar. Además, se pueden descargar muchos objetos y modelos arquitectónicos prediseñados de Internet de forma gratuita. También puede importar objetos de otros programas, como *Maya*, y modelos de elevación digital de satélites, con los que puedes obtener mapas detallados del Himalaya o el cañón del Colorado para tus historias épicas. Las imágenes que aparecen en estas páginas son obra de Tim Burgess, de Barking Mad Productions, y muestran los fundamentos de *Vue*.

CRUZ GÓTICA

Todos los colores de la imagen se generaron por el efecto de un punto de luz colocado detrás de dos ventanas, que daba a cada cristal un efecto de color diferente. Se aplicó también el efecto "luz volumétrica", que crea efectos atmosféricos como el polvo o los rayos de luz.

Vue permite ver el paisaje desde ángulos diferentes.

Los dos rectángulos muestran la posición de las ventanas.

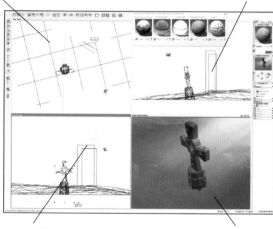

Las cruces amarillas señalan la situación de las luces.

La cruz gótica se descargó de Internet.

IGLESIA

Esta iglesia también se bajó de la red. Se situaron luces dentro de la misma, y hay un punto de luz colocado un poco por encima para mostrar los detalles del techo. No hay por qué limitarse a una sola fuente de luz, ni siquiera en los exteriores.

Para esta ilustración, se importaron formas arquitectónicas y se situaron de forma que intersectasen con la línea del agua para dar la impresión de que son unas ruinas inundadas. *"Flooded Ruin"*, Tim Burgess

TERRENO Y FOLLAJE

Los menús emergentes ofrecen varias posibilidades para el terreno y el follaje. Los tipos de tierra están diseñados para variar dependiendo de las condiciones ambientales, como por ejemplo la altitud. "Matorral" situará hierba en algunos lugares y rocas en otros. Para el follaje se emplean algoritmos fractales, para que no se repita la misma forma. También puedes editar el terreno y el follaje según tus propios gustos.

HIELO

1 *Vue* está provisto de suficientes herramientas y capacidades para cubrir las necesidades de cualquier dibujante. Estos témpanos de hielo muestran los diseños complejos que puede producir superponiendo efectos. El hielo roto se consiguió con un efecto de textura "cáustica" en una superficie de hielo plana, y después se añadió una capa debajo de las dos para fusionarlas.

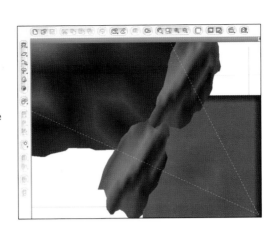

2 Este mapa aéreo muestra el hielo en el cuadrado de abajo a la derecha y las montañas extendidas arriba a la izquierda. Las líneas de puntos blancos muestran el punto de vista de la imagen principal.

TORRES

1 Esta imagen se creó por completo en *Vue*, sin importar nada de otro programa. En *Vue* se encuentran objetos básicos como conos, cubos y esferas, que se pueden modificar con una técnica denominada "booleana". En esta imagen se crearon torres a partir de cilindros independientes. Los arcos se crearon colocando esferas de forma que se intersectaran con cilindros dispuestos de forma horizontal.

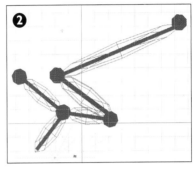

2 Este esquema de líneas de superficie muestra cómo encajaron las esferas con los cilindros dispuestos de forma horizontal.

3 Las líneas de superficie de las esferas se ven en esta imagen. Se puede emplear el mismo método para crear ventanas, puertas y cavidades interiores.

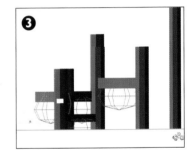

UΠ COΠSEJO ESPECIAL

■ *Vue también tiene capacidad para realizar animaciones, así que, ¿por qué contentarte con una imagen sola si puedes crear toda una serie? Necesitarás tiempo y paciencia, pero vale la pena explorar el programa en profundidad.*

■ *En algún momento necesitarás programas para editar, animar personajes o añadir sonido a tus creaciones, así que empieza a navegar para ver qué encuentras. Para este tipo de tareas hay programas baratos que te pueden servir.*

Esta imagen de una ciudad gótica emplea una gama de colores limitada para crear un ambiente sutil. *"Ciudad gótica"*, Bob Hobbs

carátulas

LAS CARÁTULAS DE DISCOS HAN SERVIDO DE ESCAPARATE PARA EL ARTE FANTÁSTICO DESDE LOS AÑOS SESENTA. EL MEDIO VIVIÓ SU MOMENTO CULMINANTE EN LOS AÑOS SETENTA , CUANDO LOS FANS DE GRUPOS COMO PINK FLOYD, LED ZEPPELIN Y YES SE PASABAN HORAS DETERMINANDO EL SIGNIFICADO PROFUNDO DE LAS OBRAS DE ARTISTAS COMO RODER DEAN Y STORM THORGERSON, CUYAS CREACIONES MÁS RECIENTES APARECEN AQUÍ.

La industria musical es uno de los principales proveedores de trabajo para ilustradores, diseñadores y fotógrafos, y demanda ideas nuevas constantemente. Las obras mostradas aquí tienen apariencia fotográfica, pero no son fragmentos de la realidad como las fotografías normales. Parten de la nada y se crean mezclando imagen real y tecnología digital. En este sentido, se pueden considerar de género fantástico, pues son fruto de la imaginación pero se intenta que parezcan lo más real posible.

Storm Thorgerson y su equipo, en el que se encuentran Pete Cuzon, Jon Crossland, Tony May, Rupert Truman y a menudo un servidor, utilizan el dibujo con frecuencia en las etapas iniciales del diseño. Para cada aspecto se lanzan docenas de ideas antes de intentar llevarlas a la vida con la tecnología moderna.

PINK FLOYD, CARÁTULA EXTERIOR

Este *collage* con un ojo en el centro era para la carátula del álbum doble en directo *Pulse*, y pretendía expresar, de forma gráfica, la experiencia que supone ver al grupo en concierto. En el ojo se reflejan algunos elementos de la actuación, y el estilo de la obra pretende mostrar la mezcla de materiales, nuevos y viejos, propia de un espectáculo en directo. Además, tiene muchas referencias al grupo, tanto viejas como nuevas.

PINK FLOYD, CARÁTULA INTERIOR

Esta imagen de un hombre suspendido, empleada en la carátula interior de *Pulse*, pretendía expresar la sensación de dejarse llevar por la iluminación y el sonido en un concierto de Pink Floyd. El personaje podría ser cualquier miembro del público, y su desnudez desafía cualquier categorización. El elemento fantástico se encuentra en las luces, que son como pequeños ovnis que transportan al cuerpo a una especie de nave nodriza que se encuentra en otro lugar. La imagen se situó en un escenario interior para reflejar que la mayor parte de los conciertos son en salas cerradas.

RICK WRIGHT

Rick Wright, el teclista de Pink Floyd, compuso este álbum titulado *Broken China* que se basa en una vida llena de maltratos. Es una historia en cuatro partes que empieza con los primeros recuerdos del niño que pasa por la rebeldía de la adolescencia, una crisis emocional y por fin la recuperación. Por tanto, la imagen de portada podría representar varias cosas. El disco de agua es una especie de torbellino emocional que absorbe a la persona maltratada, pero también puede representar un momento decisivo en la vida de la persona. El boceto a lápiz muestra otra versión en la que están intercambiados el cuerpo humano y los trozos rotos. La figura rota se explica por sí misma y el fondo borroso podría sugerir la pérdida de sentido de la vida.

ANTHRAX

La música de Anthrax tiene un carácter minimalista muy claro. Por eso sugerí esta imagen de una bola gigante de metales retorcidos para el álbum *Stomp 442*, que en cierto modo captura ese carácter directo. Storm describió lo que opinaba de la imagen: "Se mantiene unida por la energía mental que envía la persona que está de pie al lado. Es su bola, su arma personal, su mascota metálica".

CATHERINE WHEEL

La portada de *Cats y Dogs* se convirtió en una de mis obsesiones personales -los gemelos-, y es un buen ejemplo de situaciones en las que el arte digital no sirve. Storm sabía que era algo que no se podía imitar, y por eso encargo a Tony May y Rupert Truman que fotografiaran a cinco pares de gemelas. Las diferencias entre ellas son suficientes para que el espectador sepa que son reales, lo que dota de credibilidad a la imagen como conjunto y realza su valor fantástico.

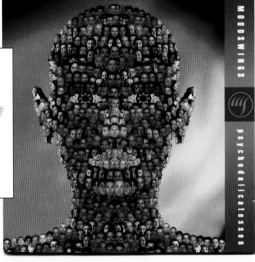

MOODSWINGS

El álbum de Moodswings titulado *Psychedelicatessen* era "una mezcla ecléctica de música trance, de ambiente y *reggae* con armónicos casi-psicodélicos", según dijo Storm, y el diseño "se basaba vagamente en la idea de que la suma de las partes es más importante que el conjunto". La otra idea es que, en efecto, todos somos uno, y esta idea acompañó a la publicación del álbum. No hace falta decir que crear la imagen fue muy difícil. Tuvimos que fotografiar más de cuatrocientas caras, y Richard Manning tuvo que retocarlas y juntarlas todas. La verdad es que fue una oportunidad excelente para colarnos a nosotros, a nuestros amigos y a nuestras familias en la portada de un disco.

ARTE DIGITAL formato y presentación

HAY ALGUNAS REGLAS FUNDAMENTALES QUE SON CRUCIALES A LA HORA DE PRESENTAR TUS TRABAJOS A CLIENTES POTENCIALES, O PARA PREPARARLOS PARA LA PUBLICACIÓN EN INTERNET O IMPRIMIRLOS. SI LOS ENVÍAS EN EL FORMATO EQUIVOCADO, EL PROCESO SERÁ MÁS LENTO, LO QUE NO AGRADARÁ A TU POSIBLE CLIENTE Y AFECTARÁ A TUS PERSPECTIVAS LABORALES.

NORMAS DE PRESENTACIÓN

1 A los clientes potenciales no les envíes archivos grandes que tarden mucho tiempo en descargarse, pues probablemente les molestará. Es mejor enviar primero un currículum y recomendarles que visiten tu página web, si la tienes. Si envías el currículum por correo ordinario, adjunta algunas muestras de tus trabajos.

2 No envíes trabajos originales por correo. Manda siempre copias. Si quieres que te las devuelvan, asegúrate de incluir tu dirección bien clara en el sobre.

3 Tu currículum debe ser corto. La mayor parte de los editores no tienen tiempo para leer más de una página. Casi todos los currículums enviados por e-mail acaban en la papelera de reciclaje. Es mejor investigar un poco, encontrar el nombre de la persona apropiada y enviarle el currículum por correo ordinario.

4 Podrás ser el mejor dibujante del mundo, pero si no eres fiable no te servirá de nada. Casi todos los clientes elegirán a un artista de segunda fila en el cual saben que pueden confiar en vez de un genio que les hará la vida aún más difícil. Hay muchos dibujantes que no llegan a las fechas de entrega, y los rumores sobre ellos se extienden. Es muy importante que contestes a las llamadas de todos los clientes lo antes posible y les informes de los progresos, especialmente si ha habido algún cambio en tu obra o en las fechas de entrega.

ALMACENAMIENTO DE DATOS

Los dos medios más comunes son los CD y los discos duros externos. Yo hago copias de seguridad de todos mis trabajos en un disco duro externo y cada dos semanas los voy grabando en CD. Después, los guardo en un lugar alejado de la computadora y el disco duro, por si se produce algún incendio, robo o inundación. Es importante tomarse tiempo para hacerlo, y hay que tenerlo presente en las planificaciones. Perder trabajos es algo bastante habitual y puede afectar a tus posibilidades laborales si dejas a un cliente en la estacada. Busca en Internet un proveedor que tenga tambores de 50 o 100 CD. Si los compras así, te ahorrarás mucho dinero.

IMPRESIÓN

Es mejor enviar copias impresas de tus trabajos a los posibles clientes, ya que descargar los e-mails con ficheros grandes a veces resulta pesado y los CD también hacen perder tiempo. Las impresiones consiguen su objetivo de forma inmediata en el momento en que salen del sobre.

PORTAFOLIOS

Presentar muestras de trabajos en pdf (ver página siguiente) se ha convertido en una práctica habitual, pero no hay nada como un portafolio bien presentado. Incluso si dibujas y pintas con métodos tradicionales, es muy importante tener copias digitales de tus trabajos. Los portafolios antiguos sólo pueden estar en manos de un cliente a la vez. Es buena idea tener un documento digital de tu portafolio e imprimirlo cuando lo necesites. Así podrás combinar las imágenes del portafolio dependiendo de las necesidades del cliente. Este método puede resultar caro, así que encuentra en Internet un proveedor de papel y tinta barato. Intenta encontrar papeles buenos, pero que no cuesten una fortuna.

PUBLICACIÓN

La mayor parte de los trabajos tienen que tener un tamaño de 300 ppp (puntos por pulgada) y estar guardados en formato CMYK, que requiere mucha memoria y ralentizará el proceso. Es posible trabajar en RGB, que reduce el tamaño del fichero, y convertirlo a CMYK al final. Esto se puede hacer fácilmente con *Photoshop*. Ten en cuenta que si la imagen debe ser de 300 ppp en el tamaño de impresión, puedes reducir la imagen al tamaño final antes de trabajar con ellas para que los archivos sean más pequeños y manejables.

E-MAIL

Cualquier trabajo que sólo se tenga que ver en pantalla y no haga falta imprimir se puede reducir a 72 ppp. Si trabajas con imágenes que sólo se emplearán en Internet, trabaja a 72 ppp. Si trabajas con imágenes que se tienen que imprimir a 300 ppp pero tienes que enviarlas al cliente para que las apruebe, es importante que hagas copias a 72 ppp para que se envíen lo más rápido posible. También puedes guardarlo en formato jpeg, que es más pequeño que un tiff. Sólo hacen falta 400 o 500 píxeles para verlo en pantalla, así que puedes reducirlo de esta forma. Cuando lo hayas hecho, presiona en la orden "Guardar para web" del menú "Archivo" para hacer otra copia en jpeg aún más comprimida. Después adjunta la imagen a un e-mail y envíala al cliente. De esta forma no tardará demasiado en descargarla.

PDF

El pdf es un formato para comprimir documentos con texto e imágenes y enviarlo por Internet. Se pueden convertir documentos a este formato con *Adobe Acrobat*. Es un programa bastante caro, pero es uno de los más empleados en la industria, ya que los avances recientes permiten imprimir directamente estos documentos comprimidos. Si trabajas en una ilustración, cómic o libro, podrás enviar tus trabajos listos para imprimir por Internet, lo que supone una revolución en la forma de trabajo con editores e impresores. De este modo, no tendrás que dejar de vivir en tu lugar habitual y podrás tener una carrera exitosa como dibujante desde una montaña de Alaska. Muchos editores también aceptarán copias de tus portafolios en este formato.

PÁGINAS WEB

Muchos editores buscan dibujantes a través de sus páginas web. Hoy en día es muy fácil construir una para publicar tus trabajos. Pero eso no es todo. Es muy importante que la página web funcione bien y aparezca en motores de búsqueda. Por eso, vale la pena consultar a un diseñador web con experiencia que te solucione estas cuestiones. Ten en cuenta que los posibles clientes no se interesarán por animaciones deslumbrantes y diseños web inteligentes. Lo que más les importa es ver tus trabajos lo más rápido posible y contactar contigo sin problemas si les interesa. Lo primordial es que no te dejes llevar por la emoción.

CRÉDITOS

CRÉDITOS DE LAS IMÁGENES

Quarto quiere dar las gracias a todos los dibujantes que nos han permitido reproducir sus trabajos en este libro. Cada ilustración viene acompañada del nombre del artista que la creó. Las ilustraciones son propiedad de los citados dibujantes:

A= arriba; b= abajo; i= izquierda; d= derecha

6a Theresa Brandon www.theresabrandon.com.
6b y 76b Anthony S. Waters © Wizards of the Coast, Inc.
35a, 39b, 47a y 75b R.K. Posrt © Wizards of the Coast, Inc.
62b Carol Heyer © Ideals Childern's Books
97ai y ad Anthony S. Waters © Green Ronin
110bi Bob Hobbs © Talebones Magazine
110bd David W. Luebbert, modelo Karen Eagle
125ai Gary Leach

El resto de las ilustraciones son propiedad de Finlay Cowan o Quarto. Cualquier ilustración de la cual no se cite el autor en la página en que aparezca es obra de Finlay Cowan, con quien se puede contactar en finlay@the1001nights.com

DEDICATORIAS DEL AUTOR

DEDICADO A
Mi madre y mi padre

AGRADECIMIENTO ESPECIAL POR LA AYUDA CON ESTE LIBRO A
Chris Patmore, Storm Thrgerson, Steve White, Paul Gravett, Nick Stone, Tim Burgess y Gary Leach

GRACIAS TAMBIÉN A
Mamá y papá, Neil Cowan, Janette Swift, Joan Swift, Kay y Roger, Justin y Duncan Saunders, David Wilsher, Linda Hill, Jason Atomic, Steve Warner, Sally Keable, Barbara Thomsett, Geoff Whiteley, Mr. Scott, Steve Reader, Caroline Owens, Jonni Deluxe, Mike Scanlon, Aimee, Veera, Ronkko, Dawn Goddard, Adam Fues y Adele Nozedar, Paul Claydon, Howard Jones, Matt Barr, Dorothee Inderfurth, Lou Smith, Ross Palmer, Richard Mazda, Christie West, Dave Howard, Daniel T. Howard, Sharmaine Beddoe, Trish y Paul Laventhol, Ron Cook, Chris Iannou, Mark Griffitsh, Dulcie Fulton, Chiara Giulianni, Alma y Pelle Fridell, Perter Curzon, Jon Crossland, Talvin Singh, Equal-1, Alan Wherry, Mari An Ceo, Marlene Stewart, Richard Hooper, Carsten Elias Berger, Steve Jones, Ian Paradine, Patrice Buyle, Marcia Shofeld, Richard O'Flynn, Rory Johnston, Richard Bellia, Sean Richardson, Aaron Wirkin, Wilf y Edna Colclough, Colette Rouhier, Richard Saunders, Elin Jonsson, Maggie y Scott Monteith, Amy Coffey, Dan Zamani, Mwila Gogle, Jon Klein, Kevin Mills, John Watts, Annemarie Moyles, Coleen Witkin, Glen y Ida, Stefan di Maggio, Howard y Asa Tate, Natalie Tate, Franco Farrell, Jonathan Roubini, Carol Bailey, Alan Mahon, Paul Duncan, Sanchita Islam, Robert Hendricks, Ofer Zeloof y familia, Adam Bass, James Piesse, Nina Petkus, Sawako Urabe, Albertine Eindhoven, Bill Bachle, Joe Bachle-Morris, Natasha Fox y Adrian, Debbie Williams, Tom Thyrwitt y Lisa Brown, Lindall Fearney, Hassan, Kevin McKidd, Kieron Blair, Lee Campbell, Dave McKean, Alan Moore, Nish Dhaliwal, Thomas Madvig, Owen O'Carroll y familia, Peter Archbold, Asa Lindstroem, Pete Williams, Becky Early, David y Hesta Spiro, Christophe Gowans, Gez O'Connell, Ruth y Malek, Jane Mercer, Marianne y Colin Fox, Stine Holte Jensen, Jason Greenwood, Ian Taylor, Jimmy Soderholm, Jefferson Hack, Rankin, Roger Grant, Rose Reuss, Ed, Ilya, Jonny Slut, Max Ghalioungui, Anne Mensah, Amanda Galloway, Bahram Safinia, los chicos del garaje, Sir Richard Francis Burton y la Diosa Musa.